RECUPERANDO LO PERDIDO

Javier Hernández Acosta

Índice

Dedicatoria

Dedicado a:

A mi madre **Rosalbina Acosta** que está en el cielo y a mi Padre **Rafael Hernández.**

A mi querida esposa **Liliana** compañera de historias, a mis dos hijos **Ronald Javier** y **Sergio Andrés**, que sirva para ellos de guía en sus múltiples procesos de sus vidas para conseguir sus sueños.

Introducción

L a mejor educación para lograr nuestros sueños es construir el "**Hábito de hacer**" esta disciplina te llevará a conseguir tus sueños.

Los apartes de esta autobiografía se relaciona dentro de todo un proceso de vivencias alrededor de lo ocurrido en la huelga del año 2004 entre Ecopetrol y la USO en Colombia, contextualizado desde todo lo ocurrido previamente antes de la huelga y todo lo evidenciado después de dicha huelga, para entregarnos dos grandes enseñanzas en donde todos los eventos coyunturales de la historia están sustentados con documentos que son públicos, se puedes verificar, hacen parte de diversos hechos reales que fueron registrados por diversos noticieros y medios de información hablados y escritos a nivel nacional e internacional, actas de acuerdo, informes, laudo arbitral del 2003, decreto

1760, y relatos de personas que vivieron esos y otros eventos anteriores y posteriores, entre otros.

Como también decirles a todos los lectores que nuestro objetivo está enmarcado primordialmente en entregar las enseñanzas que nos deja esta compleja historia, la cual se convierte en un manual de instrucciones para poder conseguir el éxito de cualquier objetivo, sueño o meta que te propongas en tu vida desde lo colectivo e individual.

En donde se narran los hechos desde uno de los 253 despedidos que vivo en carne propia todo lo sucedido antes, durante y después de dicho conflicto huelguístico, no para señalar y sí que menos para juzgar, lo hago desde el corazón para reflexionar de como una situación tan complicada y difícil para muchos de los despedidos por no decir que para todos, se puede convertir en un manual de instrucciones basado en esta gran enseñanza de la vida real donde podamos solucionar a futuro muchos de nuestros obstáculos, en búsqueda de que nuestros objetivos, sueños y metas se puedan convertir en una realidad, agregándole que la solución no dependía únicamente de los despedidos, sino de muchas otras personas que representaban instituciones, empresa, gobierno, entre otras. Lo cual lo hacía un poco más complejo.

En donde se explica de forma detallada los diversos antecedentes que motivaron la declaratoria de dicha huelga que para mi concepto y el de muchos otros debió haberse realizado mucho antes de cuando fue decretada, acá se trata de explicar el contexto de todo el proceso previo y sus consecuencias donde por más de nueve (9) años los despedidos de este conflicto vivieron muchos sucesos, desconciertos, procesos de tutelas, procesos jurídicos ordinarios, procesos políticos, procesos en los comités de reclamos, procesos personales de confrontaciones familiares, marchas, caminatas y muchos otros eventos, para que al final del camino se pudiera lograr lo que para una gran mayoría era algo imposible.

Este evento de reintegro colectivo o algo parecido no se ha conseguido o evidenciado en ninguna parte del mundo, siempre en este tipo de conflictos por lo general quedan los trabajadores despedidos y casi nunca son reintegrados en su totalidad, esta gran historia es una de las pocas excepciones.

El éxito de cada persona en cualquier escenario ya sea personal, financiero, amoroso, profesional, entre otros, es el resultado de muchas horas, días, semanas, meses y años de continuo sacrificio, de esfuerzo propio por superarse, de aprender en especial de los errores o mal llamados "fracasos", eso es lo que ha llevado a pocas personas a ser exitosas, al resto no nos gusta reconocer que nos equivocamos por lo cual no aprendemos de nuestros propios errores.

Decir que algunos de los despedidos fueron para este proceso personas comprometidas con ser exitosas en especial las pocas que siempre creyeron que al final del camino se encontraría una pequeña luz, y desde allí abrir la puerta que resolvería de forma definitiva e integral el despido de 253 trabajadores. **"Lo interno construye lo externo."**

Todos estos héroes lograron batallar con las nuevas condiciones que la vida les ponía en el frente en donde muchos nunca pensaron estar, pero que allí estaban y que para muchos de ellos estaba todo perdido, se sobrevenían miles de dificultades, sin apoyo económico, con gran cantidad de problemas personales que se desprendieron del mismo despido; por consiguiente, si ellos son capaces de hacer lo mismo en cualquier encargo de la vida diaria o en sus metas personales económicas, deportivas y/o cualquier otra que se les presente serán capaces de sacarlas adelante y ser exitosos, lo cual hace parte de esta gran enseñanza por medio de esta amarga experiencia, para todos los que lean hasta el final este suceso de la vida real.

Por cuestiones de la monotonía que nos trae el día a día y también debido a que son pocas las veces que nos enfrentamos a retos que pongan a prueba nuestras reales capacidades, pero que solo se reflejan en los momentos más difíciles de nuestras vidas o cuando estamos en peligro de muerte, lamentablemente todo ese potencial muchas veces no lo sacamos a flote en el diario vivir, solo en ocasiones de gran presión, desesperación o para sobrevivir a situaciones de peligro en donde nuestra mente y nuestro instinto de supervivencia hace que realicemos cosas que nunca haríamos en situaciones de confort, y este fue uno de ellos, el cual hizo que algunos despedidos vieran cosas que otros no alcanzaban a ver y al agregarle otros valores, hábitos, fuerzas desde nuestro interior que nos llevan a ejecutar, a actuar, persistir e insistir así se nos esté cayendo el mundo encima, el creer en algo que incluso para muchos otros era imposible, hacer que las cosas se den, entre otras es la combinación perfecta para conseguir resultados deseados, donde muchos otras personas desde diferentes orillas y desde el mismo sindicato quisieron dejar a un lado, que incluso en un momento de la historia nos decían que: "Dejáramos de joder", y además llegaron a decir que los despedidos de dicha huelga entre Ecopetrol y La USO, nos habíamos convertido en un "lastre" para el sindicato, muy a pesar que en su momento nos catalogaron como los héroes de dicho conflicto...

Con todo eso en contra y con un panorama muy oscuro se empieza a tejer una historia llena de diversas vivencias que pareciese que su final iba ser el de resignarnos a quedar como despedidos como siempre había pasado en otras huelgas, como la huelga del año 1977 donde de los

11

217 despedido solo uno de ellos de nombre Florentino Martínez por mérito propio logro reintegrarse.

Pero gracias a Dios que nos dio la fuerza para resistir y persistir en un largo trayecto lleno de vivencias individuales y colectivas, que cada quien vivió y percibió desde su propia orilla y que esos 253 trabajadores vivieron y cada cual sacará sus propias conclusiones y enseñanza para el diario vivir donde los participantes fueron en sus inicios algunos pocos de los 253 despedidos ya que es importante señalar que incluso muchos de los 253 trabajadores despedidos veían este sueño como algo imposible de lograr y por consiguiente no lo apoyaron.

Algunos otros despedidos consiguieron otros trabajos y se dedicaron a ello, pero cada uno vivió un drama e historia digna de ser contada ojala algún día cada uno se decida a contar su propia historia y sus enseñanzas, también para demostrar que muy a pesar de la difícil condición en especial la económica por las que pasa una persona despedida de su trabajo con un nivel alto de endeudamiento, con compromisos familiares, un buen estilo de vida, donde por lo general no existía ningún plan B, ni C, ni nada para generar otros recursos económicos, muchos nunca vimos esta necesidad, entre otras muchas cosas que nos deben de suceder para que miremos que en nuestro día a día estamos en mejores circunstancias y no avanzamos, al parecer nos falta estar en momentos de dificultad e incertidumbre para empezar a actuar, y pasito a pasito ir llegando a metas pequeñas que van abriendo poco a poco la fisura donde se rompen todas las dificultades que nos llevará a lograr la meta y objetivo realmente trazado y por el cual estamos dispuestos a luchar y a sacarla del estadio.

Obviamente que ese trabajo no fue solo de los despedidos, debo reconocer que la organización sindical y en especial algunos dirigentes como, Rodolfo Vecino, Cesar Eduardo Loza Arenas, German Osman, Oscar Sánchez, entre otros, fueron determinantes en algunos momentos coyunturales en cada etapa del proceso.

No fue un proceso como muchos queríamos que hubiese sido, rápido y diligente, para nada por el contrario cada día, cada mes, cada año, las esperanzas se desvanecían a cada instante, y es allí donde se pierden casi todas las batallas, en la falta de paciencia y fuerza para resistir y persistir cuando todo mundo piensa y cree que el barco se está hundiendo y lamentablemente los que decían que se iban a quedar con nosotros los despedidos hasta el final fueron los primeros que saltaron del barco.

Cuando quedamos solos y al parecer sin posibilidades con todo en nuestra contra, es allí donde salen a flote todas esas cualidades que todos tenemos pero que muy pocas veces las ponemos en práctica para poder aguantar y dar el primer paso hacia adelante para continuar firmes en el camino así no se vea ninguna luz en frente, además, también es importante decir y resaltar que la contraparte o para un mejor entendimiento "la empresa ECOPETROL" que para el momento más determinante de todo este proceso era presidida por el Dr. Javier Genaro Gutiérrez Pemberthy, quien tuvo la humildad, valentía y consciencia en reconocer que existían consideraciones y razones muy relevantes para que se pudieran abrir los espacios y las voluntades políticas en especial de ellos como empresa y del gobierno como tal, para construir cada uno de los diferentes escenarios donde se empezaron a planear y plantear soluciones integrales y definitivas para llegar al final de todo el proceso a un gran acuerdo.

La lección más importante contenida en este libro, son los diversos momentos de la vida de algunos de los protagonistas desde su propio y real carma como despedido, en donde se podía visualizar que todo estaba perdido y que lo mejor era pasar la página y no seguir perdiendo el tiempo, pero que al final con el fortalecimiento de valores archivados en nuestra mente y nuestro interior, podemos evidenciar como con la motivación al inicio de unos muy pocos trabajadores despedidos que veían en un sueño llamado reintegro el cual muchos otros despedidos ni siquiera apoyaron, se va engranando en cada etapa del proceso dicha motivación para ir sumando voluntades en un proceso que dependía de cierta forma en otros actores, pero que desde el motor de dichos protagonistas de esta historia (los trabajadores despedidos) que estaban en sus inicios en un estado de derrumbamiento y con muy poca motivación para luchar, van poco a poco saliendo y encontrando luces y espacios para abrir una, tras otra puerta, en donde cada puerta que se trataba de ir abriendo lentamente con mucho esfuerzo y con mucha paciencia, muchas de ellas al final se cerraban las cuales podríamos llamar "fracasos", y cada una de esas puertas que se cerraban nos enseñaban una mejor ruta para encontrar un final creado y construido desde las cenizas.

Por otro lado, se hace un pequeño análisis del contexto histórico que motivo a que se realizara dicha declaratoria de huelga, que, para mí, el momento en el que se llevó a cabo dicha huelga, no fue el mejor momento, del cual daré mi punto de vista desde todo el contexto histórico donde existieron otros momentos en donde era más que necesario haber decretado dicha huelga, considero que fue un poco tarde y muy al parecer un cambio en el direccionamiento, afecto de forma muy profunda el desenlace final de la huelga.

En la vida las oportunidades muchas veces se pierden por que tomamos muy tarde la decisión de aprovecharlas y también porque nos dejamos ganar de nuestras emociones al tomarlas, siendo estas las que nos conllevan a que tomemos acciones acertadas o en muchos casos de descontrol muy desacertadas, al igual las decisiones que no se toman, que también son decisiones. Es por eso que el tema de las decisiones merece un gran estudio personal de cada quien, en los diversos momentos de nuestras vidas, para así mediante un profundo análisis del contexto previo y a futuro de las mismas nos pueda llevar a tomar las más acertadas, lo cual también revisaremos más a fondo.

Con todo este proceso pretendo dejar en claro que esta historia puede ser un gran ejemplo de motivación para cualquier persona en cualquier otro escenario donde se persigan metas u objetivos y que mediante el trabajo decidido y persistente en la consecución de la meta señalada pasando por múltiples procesos y desconciertos que podrían hacernos desfallecer hacen parte de los argumentos y enseñanzas necesaria para salir adelante y lograr lo que te propongas.

Teniendo bien en claro que todos esos momentos de aparentes pérdidas son el soporte más importante para conseguir el verdadero éxito, que para el caso puede ser volver a tener su empleo anterior o ser reintegrado a su puesto de trabajo.

Fue necesario conocer y aprender de cerca lo que nos quería decir cada "fracaso" en las diversas etapas de esta historia en particular, que es en realidad una voz del "Universo" o de "DIOS" para lo que creemos en él, que nos anima a cambiar de actitud y mejorar nuestras acciones por conseguir mejores resultados, para así corregir el rumbo y enrutarnos en el camino que nos llevaría de la mano de la persistencia al éxito plasmado en la mente de unos pocos en su comienzo.

Como estas a punto de leer este libro, primero que todo déjame felicitarte y decirte que tu vida puede cambiar siempre y cuando lo decidas y realmente te comprometas a hacer lo que hay que hacer, una vez que lo termines de leer, tendrás tus propios juicios de todo lo sucedido de esta sentida autobiografía, bajo la perspectiva de una de las 253 personas que vivió en carne propia las adversidades que puede traer este proceso y que en el tiempo se convierten en un aprendizaje del diario vivir, que te ayudan a comprender que todo es un proceso y que solo depende de ti que tengas éxito o no, en lo que te estés proponiendo como meta o sueño.

No es fácil salir adelante en un proceso donde te quitan un valor tan importante como lo es tu ingreso quincenal o mensual, para que de un soplo no tengas nada.

Lo que para muchas familias significó la separación y destrucción de todo el núcleo familiar, al parecer lo que se tenía estaba soportado solo con el ingreso económico que recibían más no con bases sólidas como el amor, respeto, comprensión, trabajo en equipo, y la lucha por la superación en familia, entre otras múltiples situaciones que aquí te mostraremos y que nos llevaran a un mundo fascinante desde las realidades que a cualquier persona le puede pasar, más en estos momentos de crisis y pandemias, de las cuales muchos nunca estamos preparados, pero que es necesario siempre tener un plan B que se pueda convertir en tu plan A, para poder sobrellevar de mejor manera una situación como esta. Y que dicho plan dependa única y exclusivamente de ti.

Lo cual posiciona a cada persona en la construcción de sus prioridades para el éxito en sus emprendimientos, sus negocios, sus relaciones, sus amigos, sus apalancamientos, sus pensamientos, que, a lo largo de este libro lleno de vivencia reales, entenderás que solo tú eres el verdadero responsable de tu destino y que debes de empezar desde ya a forjarlo y crearlo mediante tu propio plan de acción hacia tus metas en búsqueda de la verdadera felicidad.

A lo largo de este libro Recuperando lo perdido, quiero mostrarte que desde cada vivencia de dicho momento histórico de la vida real, se puede evidenciar la forma de lograr las metas propuestas, inclusive con todo en contra, lo cual lo hace más interesante y digno de ser referente para cualquier persona en cualquier encargo en la vida, desde ya te invito a que leas toda la historia y pongas en práctica las enseñanzas que nos deja en particular esta autobiografía.

Para poder vencer los miedos internos que son en realidad los que nos impiden progresar y avanzar en búsqueda de soluciones reales a problemas reales, el significado de tan solo una palabra de aliento, lo cual nos llena de fuerzas para poder continuar en pie de lucha por conseguir el objetivo final.

Después de varios procesos lentos pero firmes, paso a paso, llevándonos a cada nuevo escenario que nos ponía la vida, a abrir una y otra y otra puerta más, en búsqueda de soluciones definitivas a la gran problemática que en un comienzo nadie y esto es una gran verdad, nadie le veía una posible o por lo menos mediana solución, e incluso algunos miembros de la Junta Directiva Nacional de la USO, nos decían que estábamos bien despedidos y que no jodieramos más.

Lo importante fue que no desfallecimos y mediante la persistencia en crear un nuevo escenario, cada vez que se cerraba una puerta, que no fue solo una sino muchas las que se nos cerraron, al igual las que fue necesario también abrir, que pareciera algo como muy fácil al decirlo, pero que realmente conllevo mucho esfuerzo y sacrificio.

Lo más gratificante del proceso, no fue solo el resultado final, sino lo que este nos enseñó, y que fue necesario vivirlo en carne propia para entender que por difícil que fuera la meta, y que ya en la recta final, muchos entendieron y comprendieron que, si seguíamos persistiendo e insistiendo encontraríamos, el camino hacia el éxito de lo propuesto.

El resultado final, fue una verdadera solución que dejo a todos los 253 trabajadores despedidos satisfechos. Este proceso era solo un sueño, muy poco probable de darse, donde eran muchos más los que le apostaban al fracaso incluido muchos de los compañeros despedidos, por no decir que para la gran mayoría era algo realmente imposible como muchos de ellos lo decían y declaraban, incluso algunos decían que les dieran algo de dinero y no volverían más a reclamar como tal el sueño de ser reintegrados a sus anteriores trabajos.

Demostrando que no hay nada imposible y que las imposibilidades están en el dejar de actuar y sentarse a esperar lo que nunca va a llegar si no te pones en acción.

Lo más difícil fue dar el primer paso, lo cual nos costó mucho sacrificio, después de eso era mantenernos constantes en el actuar día a día, mes a mes, año a año y es en este punto donde las esperanzas se pierden, no es nada fácil levantarse de la primera caída y menos en un mar de dificultades en donde muchos tiraban la toalla donde otros la recogían y seguían firmes para volver a levantarse de cada caída una y otra vez y las veces que fuese necesario. No había de otra...

Si no te levantas el mundo pasará sobre ti y nada va a cambiar depende de ti, que las cosas cambien. Cada caída o "fracaso" debe significar nuevas y mejores formas de hacer las cosas en tu diario vivir.

Amigo lector comparto esta historia de la vida real para que puedas visualizar que todos tenemos la posibilidad de forjar nuestro futuro hacia donde queremos llevar nuestros sueños y si en realidad queremos que se conviertan en motivaciones para otros a seguir, pero siempre encaminándonos en que lo más importante: es pasar del dicho al hecho es decir tomar acción de inmediato, punto.

Una vez que leas este libro veras que no era un cuento de hadas fueron hechos de la vida real donde paso a paso se construyó el sueño de reintegrar a 253 trabajadores que perdieron sus empleos en un proceso donde no se llevaron las cosas como debía de haberse llevado, por el contrario se alteraron decisiones previamente tomadas en asamblea nacional de delegados que analizo todas las posibilidades y aprobó después de un análisis a fondo de cómo hacer mejor las cosas, pero lamentablemente dicho análisis y direccionamiento no fue tenido en cuenta lo que conllevo a que dicha decisión tal y como al final se tomó por parte de la Junta Directiva de ese entonces, no tuviese el resultado esperado dejando a estos hombre y mujeres en un proceso muy complejo, en donde era más fácil tirar la toalla y asumir lo que otros querían denominar como el lastre del hundimiento de un barco donde los que se comprometieron con llevarlo a un buen puerto fueron los primeros en abandonarlo, dejando con todo ello múltiples enseñanzas, que iniciaron con el sueño de unos pocos, que nunca creyeron en lo que otros querían hacerles ver, que dejaran de joder y aceptaran la voluntad que les imponía un despido producto de decisiones mal tomadas y otras que no se tomaron en el momento justo, dejando en las manos de nadie el futuro que debía ser tomado desde un principio por ellos. Dejándonos dos grandes enseñanzas que hacen parte de las conclusiones de esta sentida autobiografía de la cual podrás controvertir con los diferentes documentos como Laudo, decreto, acuerdos, y demás sucesos y relatos de muchos de los protagonistas para poder entender, comprender y aprender que solo basta que unas pocas de muchas personas sueñen y jalonen el tren del éxito, donde poco a poco los demás vagones entendieron y al final comprendieron que si era posible el logro de dicha meta, siempre y cuando no se quedarán quietos, que mediante la acción coordinada paso a paso, aprendiendo de cada caída, para con ello encontrar la verdadera senda donde al final si o si los llevaría al éxito del sueño propuesto como meta final.

No fue nada fácil, existieron momentos muy difíciles, pero el acompañamiento y dialogo en unidad complementaba las ganas de construir los diversos escenarios para llegar a la meta, todos ellos fortalecidos desde esas pequeñas acciones que muchas veces vemos como algo insignificantes, pero que al irlas sumando una a una van construyendo esos grandes pasos que determinan la viabilidad de hacer lo irreal algo muy real.

Desde este momento que empiezas a leer toda esta gran historia, deberás reconocer tu realidad y prepararte para construir tu propia historia llena de muchas aventuras y vaivenes que probaran de que estás hecho, para convertirte en un ser que lucha por su futuro que no lo deja a la suerte, que toma entre sus manos el compromiso de ser mejor persona cada día y de construir segundo a segundo resultados que afianzaran el éxito total para lo que te propongas como meta o sueño.

¡Comencemos!

Laudo Arbitral

P ara comenzar quiero describir cómo empezó esta gran historia que para muchos puede ser solo un relato desde un punto de vista de los hechos, mucho de estos relatos están soportados por hechos reales sustentados en documentos públicos como actas de acuerdos firmadas, Decreto 1760, Laudo Arbitral del año 2003, noticias de amplia difusión nacional e internacional en diverso medios hablados, escritos y en redes sociales, relatos de las personas que vivieron en carne propia muchos de esos momentos de la historia y otros de mucho antes como la huelga del año 1977, entre muchos otros informes y documentos que podrás encontrar en internet.

Primero que todo decir que dicho evento sucedió en Colombia, en donde existe la Empresa Colombiana de

Petróleos llamada por la sigla "Ecopetrol S.A" hoy en día, Es una empresa industrial y comercial del estado creada por la ley 165 de 1948 y organizada mediante el decreto 030 de 1951 y reorganizada mediante los decretos 3211 de 1959 y 072 de 1970 y 1209 de 1994 y escindida mediante decreto 1760 de 2003 que la reorganizo en una sociedad pública por acciones con el nombre de "ECOPETROL S.A", vinculada al Ministerio de Minas y Energía y regida en su estructura orgánica interna por el decreto 2394 de noviembre de 2003.

En la empresa Colombiana de Petróleos ECOPETROL , al momento de los hechos coexistían legalmente dos sindicatos de primer grado y de industria, LA UNION SINDICAL OBRERA DE LA INDUSTRIA DEL PETROLEO de sigla "USO" y la asociación de directivos y profesionales y técnicos de empresas de la industria del petróleo de sigla "ADECO", el primero LA USO agrupaba a más de las dos terceras partes (2/3) del total de los trabajadores de la empresa y a menos del cincuenta y uno por ciento (51%) de los mismos ambos con domicilio principal en el municipio de FACATATIVA (Cundinamarca).

La USO fue creada el 10 de febrero de 1923, con el nombre inicial de "Sociedad Unión Obreros". Es decir, ya la USO ha cumplido su primeros cien años y Dios permita que siga cumpliendo muchos años más.

Siendo la USO el sindicato mayor minoritario y ADECO el sindicato menor minoritario y de acuerdo al Decreto Reglamentario 1373 de 1966 Art 11 numerales 2, 3 y 4. Les correspondía conjuntamente la representación de los trabajadores sindicalizados de la empresa.

Es importe aclarar que el Sindicato ADECO en su asamblea del personal sindicalizado aprobó adherir sus peticiones al pliego de la USO, para presentar un pliego unificado.

Dicho pliego presentaba 24 punto nuevos, de los cuales del 1 al 17 y del 21 al 24 se referían más que todo a la política petrolera que según la USO debería tener Ecopetrol y el Gobierno Nacional, los cuales eran los puntos clave para la USO.

Fue así como el 28 de noviembre de 2002 se presentó el pliego de peticiones de la USO el cual llevaba inmersa las peticiones de ADECO, cuya pretensión era firmar una nueva convención para el periodo 2003 hasta el 2004, por un periodo de dos años.

"El 18 de diciembre de 2002, en el edificio principal de Ecopetrol desde las 8:30 pm hasta las 11:00 pm, se reunieron por parte de la administración y el gobierno, el señor Luis Ernesto Mejía Castro Ministro de Minas y Energía, Isaac Yanovich Farbajarz Presidente de Ecopetrol, Gustavo Jimeno Escolar Vicepresidente de Personal, Víctor Eduardo Pérez Herrera Vicepresidente de Exploración y

Producción, Carlos Alberto Sandoval Reyes Vicepresidente Financiero, Raúl Betancourt Escobar Gerente Asuntos Laborales. Asistentes pos la dirigencia sindical, Carlos Rodríguez Díaz Presidente de la Cut, Rodolfo Gutiérrez Niño, Presidente de la USO, Juan Ramón Ríos Monsalve, Dirigente de la USO Nacional, Daniel Rico Serpa, Dirigente de la USO Nacional, Fabio Días González, Dirigente de la USO Nacional, Gabriel Alvis Ulloque Dirigente de la USO Nacional. Cuyo objetivo de dicha reunión era la de discutir y acordar los términos para el inicio de la Negociación Colectiva entre Ecopetrol y la Unión sindical Obrera de la Industria del Petróleo USO.

Los acuerdos a los que llegaron fueron:

1. El día 13 de enero de 2003, con la participación de las comisiones de negociadores de la Administración y del sindicato, se instalará en el club de Ecopetrol en Bogotá, la mesa de negociación de la convención colectiva 2003 – 2004, y se dará inicio a la etapa de arreglo directo. La USO llevará a este escenario el pliego de peticiones y de igual manera la empresa llevará a este escenario la denuncia de la convención colectiva que realizo en los términos señalados en la ley.

2. El día 26 de diciembre de 2002, se reunirá una comisión paritaria conformada por (5) participantes de la administración y (5) participantes del sindicato,

que se denominará paralela y que tratará exclusivamente los siguientes puntos.

- Terminación de los contratos laborales de 11 trabajadores de la refinería de Cartagena, por hechos ocurridos en el mes de noviembre de 2002.

- Facilidades de logística y desplazamiento (garantías) para la dirigencia sindical durante el periodo de la negociación colectiva 2003 – 2004.

3. Como un acto de buena Voluntad conducente a que la negociación se desarrolle dentro del mejor clima de normalidad, las partes propenderán por unas relaciones de confianza mutua que permitan la solución de los conflictos y contradicciones que se puedan presentar en el proceso de negociación." (Copiado textualmente del acta de dicha reunión de diciembre 18 de 2002).

Llegado el día de la reunión del 13 de enero de 2003 de acuerdo a lo ya acordado, y según acta levantada por los que se presentaron a dicha reunión, no se presentó ningún dirigente del sindicato, ni la comisión negociadora de la USO, pero la empresa dejo constatación de dicha no comparecencia ante la inspectora dieciséis (16) de trabajo del grupo de inspección y vigilancia.

Motivo por el cual fue necesario convocar a otra reunión. "El día 28 de enero de 2003, en el piso 11 del edifico principal de Ecopetrol, de 6:00 pm hasta las 7:30 pm, donde estuvieron por parte de la administración Isaac Yanovich Farbajarz Presidente de Ecopetrol, Gustavo Jimeno Escolar Vicepresidente de Personal, Raúl Betancourt Escobar Gerente de Asuntos Laborales, y por parte de la dirigencia sindical asistieron Rodolfo Gutiérrez Niño Presidente de la USO, Gabriel Alvis Ulloque Vicepresidente de la USO, Daniel Rico Serpa Secretario de Derechos Humanos USO". (Copiado textualmente de dicha acta de reunión efectuada el 28 de enero de 2003)

En donde se fijaron fechas para acordar el acta de garantías de la negociación, fijar fecha de inicio de negociación y por ultimo fijar inicio de reunión de una comisión especial de 5 representantes de la administración y 5 representantes del sindicato para tratar única y exclusivamente el tema de la terminación de contratos laborales de 11 trabajadores de la refinería de Cartagena, por hechos ocurridos en el mes de noviembre de 2002.

Fue así que dicha reunión se efectuó el 6 de febrero de 2003, dando como resultado la firma del acta de garantías para el inicio de la negociación colectiva, donde se fijaba el día 10 de febrero como día de inicio de la etapa de arreglo directo a las 2:00 pm en la ciudad de Bogotá.

Ya el día 10 de febrero de 2003, se reunieron en el club social y deportivo de Ecopetrol en la ciudad de Bogotá, la comisión negociadora de Ecopetrol y la Comisión negociadora de la USO, con la presencia del Dr. Eduardo Antonio Mendieta de la dirección territorial del trabajo de Cundinamarca, junto a los asesores de la USO Nacional, funtraenergetica y adeco, dando inicio de manera formal a la etapa de arreglo directo de la negociación colectiva entre ECOPETROL y la USO.

Los primeros tropiezos de dicha negociación se dieron cuando los negociadores de la empresa quisieron imponer su pliego de peticiones para ser tenido en cuenta en dicha negociación, lo cual genero los primeros impases que después de un gran debate jurídico político, la USO decide no aceptar dicho contrapliego, que de entrada mandaba muchos mensajes de lo que podía pasar en el desarrollo de la negociación.

Los días fueron trascurriendo con mucha normalidad sin avances significativos muy normal en cualquier negociación, ya que al parecer en la siguiente etapa de la prorroga es al parecer donde el acelerador y los puntos de encuentro empiezan a aparecer.

Trascurridos los primeros 20 día de arreglo directo se reunieron el 1 de marzo del 2003, por una parte, los representantes de Ecopetrol Felipe Castilla Canales Vicepresidente de Refinación, Héctor Manosalva Rojas

Gerente Sur, Lucy García Gerente de Asuntos Laborales y por otra parte en representación de la Unión Sindical Obrera de la Industria del Petróleo, USO, los señores Rodolfo Gutiérrez Niño, Presidente de la USO, Gabriel Alvis Ulloque, Dirigente de la Uso Nacional y Daniel Rico Serpa Dirigente de la USO Nacional, los cuales acuerdan 20 días calendario de más, como prórroga de la etapa de arreglo directo. (Información tomada de dicha acta de reunión efectuada el 01 de marzo de 2003)

Si bien es cierto que se llegaron a algunos muy pocos acuerdos, después de incluso haber firmado acta de prórroga del 1 de marzo de 2003 no fue posible que dichas negociaciones terminaran de forma exitosa y el 21 de marzo de 2003, concluyeran sin lograr un acuerdo integral de la convención colectiva. Fue así que la comisión negociadora de la administración ese mismo día, levanto y firmo acta de finalización de etapa de arreglo directo de la negociación colectiva de trabajo 2003 – 2004, en donde informaban, que a pesar que la comisión negociadora del sindicato se presentó, dejaron constancia que no firmarían dicha acta. (Información tomada de dicha acta de reunión efectuada el 21 de marzo de 2003).

Lo que conllevo a que el Ministerio de Trabajo y Seguridad Social mediante resolución 000382 del 25 de marzo del 2003, la cual fue confirmada con resolución 001273 del 29 de mayo del 2003, ordeno constituir un

Tribunal de Arbitramento Obligatorio para que se decidiera el conflicto existente entre la organización sindical Unión Sindical Obrera de la Industria del Petróleo USO y la empresa Ecopetrol.

Como podemos evidenciar, se realizó un procedimiento jurídico en orden cronológico de fechas, en donde inicialmente el Presidente de Ecopetrol del momento Isaac Yanovich Farbajarz en fecha 25 de marzo del año 2003, solicita al Ministerio de la Protección Social, la convocatoria del Tribunal de Arbitramento Obligatorio.

La cual fue respondida de manera favorable por el Ministro de la Protección Social mediante la resolución 000382 del 25 de marzo del 2003.

A dicha resolución 000382 del 25 de marzo del 2003, La UNION SONDICAL OBRERA "USO" presento recurso de reposición, el cual fue resuelto mediante la resolución 001273 del 29 de mayo del 2003.

Se trascribe de la resolución N° 0001273 del 29 de mayo del 2003, la parte que motiva dicha decisión de confirmación de la resolución N° 000382 de marzo 25 de 2003:

"Para resolver se considera:

Que, no obstante, los argumentos presentados por el recurrente no atacan directamente el contenido de la providencia impugnada, este despacho procede a hacer un análisis de la Resolución N° 00382 del 25 de marzo de 2003, frente a los mencionados argumentos y la documentación que obra en el expediente de la actuación administrativa que realizo este Ministerio, que culminó con la decisión de ordenar la convocatoria del tribunal de Arbitramento.

Que en el expediente obra copia del acta de fecha 10 de febrero de 2003, que corresponde a la iniciación de la etapa de arreglo directo de la negociación colectiva, documento que fue suscrito por las comisiones negociadoras de ECOPETROL y de la USO, y se encuentra copia del acta de acuerdo de marzo 1 de 2003 firmada por los integrantes de ambas comisiones negociadoras en las cuales se consideró que: "las partes acuerdan prorrogar, a partir del domingo dos (2) de marzo de dos mil tres (2003) la etapa de arreglo directo dentro del actual proceso de negociación 2003 – 2004, iniciado el pasado 10 del mes de enero del año dos mil tres (2003), por el termino de veinte (20) días calendario". De igual manera, aparece copia del acta del pasado 21 de marzo sobre la finalización de la etapa de arreglo directo suscrita únicamente por los negociadores de la empresa en la cual se dejó constancia de que, a pesar de haber asistido la comisión negociadora de la USO, los mismos manifestaron que no suscribían el acta en mención.

Que del estudio de los documentos relacionados en el párrafo anterior se concluye con toda claridad que en el conflicto colectivo desatado entre la Empresa Colombiana de Petróleos ECOPETROL y la organización sindical, se surtió la etapa de arreglo directo, aunque no se lograrán acuerdos totales o parciales sobre el pliego de peticiones presentado por la USO. Sobre este particular se considera pertinente señalar que las actuaciones administrativas de este Ministerio, no están facultadas por la ley para obligar a las partes que intervienen en la negociación colectiva a tratar sobre determinados puntos de los pliegos de peticiones de los sindicatos ni sobre los aspectos a los cuales se refirieron las empresas en la denuncia de la convención, por cuanto su función se limita a cumplir con lo que establece el artículo 433 del Código Sustantivo del trabajo., modificado por el artículo 21 de la ley 11 de 1984, es decir, a intervenir y sancionar si es el caso, cuando el empleador se niegue o eluda iniciar las conversaciones de arreglo directo dentro del término señalado en la ley.

Que en lo que respecta a la afirmación que hace el recurrente en el sentido de que en este caso la convocatoria del tribunal de arbitramento configura indebida utilización de esta institución jurídica, este despacho aclara que el arbitramento obligatorio es un mecanismo de solución de los conflictos colectivos de trabajo que contempla de manera expresa el Capítulo VI del título II "Conflictos colectivos de trabajo" del Código Sustantivo de Trabajo, y en la presente actuación administrativa la convocatoria del tribunal no es indebida sino que constituye un deber legal para este Ministerio, si se tiene en cuenta que el artículo 452 del Código Sustantivo de Trabajo., subrogado por el artículo 34 del D.L. (Decreto Ley) 2351 de 1965 y modificado por el artículo 19 de la ley 584 del 2000, establece que serán sometidos a arbitramento obligatorio: a) Los conflictos colectivos de trabajo que se presenten en los servicios públicos esenciales y que no hubieren podido resolverse mediante arreglo directo.

Que, por lo tanto, como está plenamente demostrado que las comisiones negociadoras de la Empresa Colombiana de Petróleos ECOPETROL y la Unión Sindical Obrera de la Industria del Petróleo USO, agotaron la etapa de arreglo directo de la negociación colectiva sin haber logrado un acuerdo total sobre el pliego de peticiones presentado por la citada organización sindical, no puede este Ministerio acceder a revocar la decisión de ordenar constituir el tribunal de arbitramento obligatorio, como lo pretende el recurrente, por cuanto tratándose de conflictos colectivos en empresas cuya actividad está definida como servicio público esencial, si no se logra un acuerdo entre las partes lo pertinente es la convocatoria del tribunal obligatorio, según lo dispone el literal a) del artículo 452 del CST., ya citado.

En mérito de lo expuesto,

RESUELVE:

Artículo Primero: - Confirmar la Resolución N° 00382 de marzo 25 de 2003, por la cual se ordenó la constitución de un tribunal de arbitramento obligatorio en la Empresa Colombiana de Petróleos ECOPETROL.

Artículo Segundo: - Notifíquese a los jurídicamente interesados de conformidad con lo establecido en los artículos 44 y 45 del Código Contencioso Administrativo, previa advertencia que contra este acto no proceden los recursos en la vía gubernativa."

El proceso para convocar, constituir y designar los árbitros del Tribunal de Arbitramento Obligatorio dio su curso de forma tranquila y en los tiempos cronológicos establecidos soportado bajo el ordenamiento jurídico, para poder resolver y dejar en firme el Laudo Arbitral Obligatorio en diciembre 09 de 2003.

El Organismo Arbitral dispuso convocar a las partes EMPRESA Y SINDICATO para ser oídas en audiencia pública, oficiándolas previamente para que comparecieran e hicieran llegar a las Secretaria del Tribunal:

- ✓ Los antecedentes del conflicto.
- ✓ El pliego de peticiones.

- ✓ Las denuncias.
- ✓ Las actas de negociación
- ✓ La Convención vigente.
- ✓ Los acuerdos en mesa.
- ✓ Las ofertas si hubiere.
- ✓ Los comunicados.
- ✓ La descripción del Conflicto.

Lamentablemente el día de la citación propuesta al sindicato, reunidos los Árbitros y el secretario dejaron constancia que nadie se presentó, ni se recibió llamada o se recibió algún escrito, se elaboró dicha acta y se aprobó.

Lo contrario de lo sucedido en la citación de la empresa quienes, si se hicieron presentes a dicha citación con una comisión encabezada por el propio Presidente de la empresa en dicho momento, donde presentaron todas las argumentaciones a los diferentes temas y donde se aportó documentación que fueron tenidas muy en cuenta por parte del Tribunal de Arbitramento para tomar las decisiones finales.

Nota: Toda la información referente al Laudo Arbitral del año 2003, es una información pública que está debidamente registrada en El Ministerio del Trabajo de Colombia en el grupo de archivo sindical, donde podrán solicitar las copias que necesiten revisar.

Como se puede evidenciar en el Laudo Arbitral del 2003, donde recopila toda la información del Tribunal de

Arbitramento Obligatorio, las pruebas, documentos, testimonios y demás, se puede observar que las pretensiones de Ecopetrol desde sus inicios con la denuncia del contra pliego en donde son ellos los que empiezan a entorpecer el buen desarrollo de la negociación desde sus inicios, generando las primeras discusiones de todo lo allí planteado. Buscando al parecer que la negociación no tuviese el resultado esperado de acuerdo entre las partes...

La USO denuncia un nuevo artículo 122 que buscaba mejorar este tema de la estabilidad laboral para los trabajadores.

Según el tribunal atendiendo las reglas que inspiran los principios de equidad y justicia en que debe apoyarse la decisión, llamo especial atención la presentación y sustentación que hiciera el propio Presidente de la empresa de las razones que condujeron a denunciar algunas cláusulas del convenio colectivo de trabajo vigente es decir lo denunciado por ellos en su contrapliego.

En los anexos del Laudo, podemos ver, que fue de gran ayuda para Ecopetrol la comparecencia del Presidente de la empresa, para sustentar las pretensiones de borrar de la Convención Colectiva de trabajo, el artículo segundo el cual agrupaba lo concerniente a la contratación de las actividades al interior de la empresa, al igual que el artículo 121 de Estabilidad Laboral, lamentablemente la organización sindical nunca se presentó ante el tribunal para controvertir todas sus pretensiones las cuales fueron muy tenidas en cuenta por el tribunal para el resuelve final de dicho laudo arbitral.

Pero más lamentable no haber realizado la huelga antes que se decretará la constitución de dicho tribunal de arbitramento obligatorio que definiría el futuro de la Convención Colectiva o en el peor de los escenarios haber retirado el pliego para evitar que dicho Laudo fuese una realidad.

Solo con la pérdida de estos dos artículos desestabilizaban en gran forma la estructura de la empresa y del sindicato, al igual que se afectaba la moral de los trabajadores al dejarlos sin ninguna protección al perder la estabilidad laboral y ampliar el espectro sindical a la gran cantidad de firmas contratistas que hoy manejan todas actividades que dejaron de ser realizadas de forma directa por decir un numero podríamos estar hablando de más de cuarenta mil o muchas más personas, que son las que hoy realizan dichas actividades a nivel nacional, que antes se realizaban de forma directa, y al ser borrado de un plumazo el artículo segundo de la convención colectiva, se genera un gran daño en especial en los beneficios de todos los trabajadores que hoy tienen que empezar de cero a luchar por reconquistar nuevamente dichos derechos y beneficios perdidos y que aún hoy sigue siendo un tema sin resolver de fondo.

Aquí se anexa algunas de las argumentaciones que presento el Presidente de Ecopetrol ante el Tribunal de Arbitramento Obligatorio y que quedaron en la parte motiva de dicho Laudo del año 2003.

"La administración necesita garantizar la viabilidad de Ecopetrol en el largo plazo en atención a que la producción de petróleo cayó 29% entre 1999 y 2001, que el volumen de las exportaciones se redujo en 57% y su valor en dólares en 19% mientras las reservas disminuyeron también en 19% que era necesario adoptar sistemas flexibles de trabajo que permitan la competitividad y ello era urgente por que los ingresos venían decreciendo más rápido, argumentado con ello que los trabajadores debían participar dentro de un sistema laboral bajo los principios de equidad y solidaridad que buscara la gobernabilidad y racionalizar los costos y gastos"

Entre otros aspectos sobre las pensiones y otros gastos que muy hábilmente el Presidente explico al tribunal.

Estos aspectos fueron determinantes para que los Árbitros de dicho tribunal tomarán las decisiones que tomaron.

Gracias a una gran estrategia organizada por la administración de Ecopetrol quienes, desde el inicio tenía claro cuáles eran sus reales objetivos. Los cuales no tuvieron ninguna oposición contúndete dentro del tribunal y mucho menos por fuera, ya que dentro no existía un árbitro nombrado por el sindicato, y que según los documentos revisados de dicho tribunal, el sindicato no nombro a nadie, motivo por el cual el Ministerio de la Protección Social mediante resolución # 002159 del 08 de agosto del 2003 nombro al Dr. Jaime Cerón Coral, como Árbitro de la Unión Sindical Obrera de la Industria del Petróleo "USO", es decir que la organización sindical no tenía a nadie que estuviese revisando mínimamente sus pretensiones en dicho Tribunal de Arbitramento Obligatorio y por otro lado, tampoco hizo nada para evitar la constitución y consolidación de dicho tribunal obligatorio, teniendo dos posibilidades para evitar que este fuese constituido como lo eran:

Retirar el pliego o haber realizado la huelga ante la posibilidad de que existiese la creación de un posible Tribunal de Arbitramento Obligatorio, todo se dejó en las manos del destino sin hacer mínimamente lo que debía de haberse realizado y que otras organizaciones sindicales lo han hecho; como era haber retirado el pliego de peticiones y en otra oportunidad más adelante volver a presentar el mismo pliego o uno más condensado.

O si existía las ganas y fuerza como se observa más adelante donde si se realiza la huelga... De lo cual considero, que este hubiese sido el mejor momento para haber realizado dicha huelga, además se tenía toda la legitimidad al no existir un acuerdo.

Al leer el resuelve del Laudo Arbitral en su artículo 13 denominado "sistema de contratación" y el artículo 14 del mismo denominado "estabilidad laboral", vemos la contundencia de todo un trabajo muy bien planeado y organizado creería que, desde antes de iniciar la negociación colectiva, donde se tenía claro que era muy posible que no se iba a llegar a ningún acuerdo y desde mucho antes se tenían todo un libreto montado para cada una de las etapas de dicho proceso, en donde el sindicato sin darse cuenta le hizo el favor a la empresa al no tomar las decisiones más importantes en los momentos indicados para cada una de las etapas dentro del proceso de negociación, ya que al darse cuenta que ya faltando pocos días para cumplirse los tiempos estipulados de la negociación y no se acercaban a los puntos mínimos de encuentro para llegar a un acuerdo general y final del pliego, debió tomar una de las dos decisiones antes mencionadas, (retirar el pliego o hacer la huelga), antes que se solicitará la creación de un Tribunal Obligatorio que dirimiera y resolviera dicha negociación.

Cosa que fue lo que realmente sucedió. Dejaron pasar todos los tiempos establecidos y no tomaron ninguna de las dos decisiones trascendentales e importantes para impedir la creación del Tribunal Obligatorio, solo se dedicaron a recusar los árbitros nombrados en dicho tribunal en representación de la USO. es decir, no se tomaron decisiones que realmente tuvieran un efecto contundente para evitar la creación de dicho tribunal, como hubiese sido el retiro del pliego de peticiones o haber realizado la huelga como tal.

Dicho Tribunal de Arbitramento Obligatorio fue integrado por los Doctores: Héctor Arriaga Díaz, Jaime Cerón Coral, Víctor Manuel Uribe Azuero y como secretaria a Alexandra Díaz Nivia respectivamente. Es importante decir que no hubo acuerdo entre los dos árbitros inicialmente nombrados para nombrar el tercer Árbitro siendo este también nombrado por el Ministerio de la Protección Social de conformidad con el numeral 3° del artículo 3° de la ley 48 de 1968, quien nombro al Doctor Héctor Arriaga Díaz. Es decir que dos de los árbitros fueron nombrados por el Ministerio de la Protección Social y el otro por la empresa Ecopetrol. Por lo cual es claro que no había nadie que fuese a defender el futuro de dicha Convención Colectiva en dicho escenario y por ende el resultado como tal del Laudo Arbitral, no pudo ser otro sino el ya conocido por todos.

Acá empezamos a hacernos algunas preguntas para el análisis de dicha situación, como, por ejemplo:

¿Por qué no nombraron el árbitro que le correspondía nombrarlo a ellos como organización sindical?

Con esto se dejaba a la deriva dicho proceso, de pronto pensando que más adelante, el laudo se caería, según ellos por falta de bases jurídicas, pero al parecer no fueron bien asesorados, sobre dicho proceso en particular, a sabiendas que existía la posibilidad de no llegar a un acuerdo y los pasos que seguían cuando no existe un acuerdo en las partes era el ya conocidos por todos, la constitución de dicho Tribunal de Arbitramento Obligatorio, solo quedaban dos opciones, haber retirado el pliego o por qué no haber realizado la huelga, siendo está una herramienta legitima en dichos escenarios fallidos de negociación de pliegos de peticiones entre empresa y sindicato.

Al no haber realizado la huelga y tampoco retirar el pliego de peticiones, quedaba claro que se estaban aceptando el Tribunal de Arbitramento Obligatorio y mínimamente debían colocar a un árbitro que conociera a fondo la convención colectiva y defendiera los intereses de la organización sindical y sus afiliados, pero tampoco lo hicieron, siendo esta premisa la que siempre presentaron dentro de las recusaciones a los árbitros propuestos por el Ministerio de la protección Social, entonces por qué no lo nombraron ellos como su legítimo derecho.

¿Por qué la organización sindical no dio la cara al Tribunal de Arbitramento Obligatorio, para contrarrestar e informar de los avances obtenidos dentro del proceso de negociación, además de refutar la presentación que hiciere el Presidente de la empresa en dicho momento?

Muy a pesar de haber sido convocados el día 21 de noviembre de 2003 en audiencia pública para ser escuchados y poder en ese momento entregar toda la documentación e información necesaria para justificar sus pretensiones, pero no lo hicieron.

Lo contrario fue lo que hizo la empresa, quien si se presentó cuando fueron convocados el 24 de noviembre de 2003 con una comisión encabezada por el propio presidente de la empresa quien dio sus explicaciones muy convincentes sobre los temas que necesitaban resolver de fondo (el artículo segundo sobre las actividades que se debían a futuro contratar de manera indirecta y cuales seguirían siendo realizadas de forma directa por la empresa, como también el tema de la estabilidad de los trabajadores, dos temas demasiado relevantes en su momento), e incluso dejaron la documentación que soportaba sus pretensiones.

Haciendo una síntesis del resultado del Laudo, podríamos decir de acuerdo a los hechos, se puede resumir que el objetivo previamente planeado como logro a conseguir por parte de la empresa era derogar o borrar de la convención colectiva estos dos artículos muy relevantes e importantes para toda la estructura de la Convención, los trabajadores y el sindicato, si nos detenemos a ver sus relación con los demás aspectos de la convención y de la empresa podríamos decir que hacen parte de la columna vertebral de dicha convención, debido a que una amarraba todas las actividades que se realizaban en toda la empresa y con este logro, de cierta forma se reducen en un porcentaje muy elevado las actividades que debía contratar de forma directa, las cuales pasaban a ser realizadas por empresas contratistas en donde sus trabajadores de entrada quedaban por fuera de la convención colectiva que en plata blanca quería decir que se reducía de forma considerable los gastos laborales tal y como quedo consignado en las declaraciones que hiciera el propio presidente de Ecopetrol en la citación que le hiciere el tribunal al respecto y con el otro punto de la estabilidad, que al parecer no fuese importante, Pero...

Si se observa dentro de muchos ángulos podemos ver que hace parte también de la columna vertebral de la organización sindical que al perder este punto, también se pierde la motivación de los trabajadores de tener un seguro para salir a defender lo que aún les quedaba o tratar de recuperar lo que se estaba perdiendo en dicho momento, con este articulo la empresa estaba garantizando de alguna forma que lo que estaban ganado en ese momento a futuro fuese muy difícil de recuperar para el sindicato, ya que sus trabadores al perder su estabilidad quedaban sin protección alguna ante situaciones de coyuntura donde por cualquier circunstancia sería muy difícil que se pudiese mantener los trabajadores en confrontación debido a que los procesos jurídicos disciplinarios y convencionales ya sin estabilidad eran fáciles de llevar al fin deseado, inclusive donde podrían colocar sanciones más drásticas como lo fuese el despido a cualquier trabajador, inclusive por situaciones no tan fuertes como una huelga y es como hoy se viene ejerciendo la gobernabilidad en todas las áreas de la empresa.

El artículo segundo de la Convención Colectiva que estaba vigente antes de presentar el nuevo pliego de peticiones, era en especial la joya de la corona, donde se disponían las actividades que se podían contratar y cuales eran realizadas con personal directo entre otras disposiciones contractuales y salariales.

Podemos observar en los apartes del laudo Arbitral, en su página 06, referente al tema de las notificaciones y en especial, la citación a presentar la defensa de las intenciones de cada parte, donde solo se presentó la empresa según dejaron constancias los arbitro de dicho tribunal.

Es decir que el Tribunal solo tenía la opinión y los documentos de una de las partes, pero dejaron muy en claro que le dieron la oportunidad al sindicato de hacer sus observaciones y presentar su documentación que hubiese sido importante.

Revisando la historia para buscar un hecho parecido y poder verificar si este proceder estaba acorde con el proceder del sindicato en otras épocas, encontramos que la Corte Suprema de Justicia el 24 de febrero de 1948 fijaba la constitución de un Tribunal de Arbitramento Obligatorio, en donde los trabajadores petroleros afiliados a la USO delegaron al Abogado Diego Montaña Cuellar como su árbitro, y en cuyo resuelve de dicho laudo arbitral se consiguieron varios beneficios para los trabajadores entre ellos, el reintegro de todos los trabajadores despedidos en dicho proceso, mantuvieron las actividades de exploración y explotación de los pozos petroleros hasta el día que revirtiera la concesión de mares, como consecuencia del mantenimiento de las actividades, cuando el estado asumiera la explotación petrolera no tendrían que recibir en abandono sectores claves de la industria. Es decir que para ese momento se tomó una decisión más acertada donde lograron construir desde dicho Laudo en el año 1948 varios puntos a favor de todos los trabajadores. (Tomado del texto: "El petróleo es de Colombia y para los colombianos": la huelga de 1948 en Barrancabermeja y la reversión de la Concesión de Mares)

Por lo cual no se entiende por qué no se quiso nombrar mínimamente el árbitro que les correspondía, es como si se quisiera dejar en manos de nadie el destino de la Convención Colectiva, ya que no tenían, dentro del terreno a ninguna persona de carne y hueso que estuviese defendiendo dicho pliego de peticiones y por ende el resultado no podría ser otro.

Un Laudo que desmembraba el cuerpo de la anterior convención colectiva de trabajo al borrar de un plumazo dos puntos con demasiada relevancia para el sindicato y los trabajadores y que haciendo un balance cuantitativo en lo referente al número de personas que perderían los derechos y beneficios consignados en dicha convención al pasar a ser trabajadores de otras empresas al servicio de Ecopetrol, pues estaríamos hablando alrededor de unos cuarenta mil trabajadores que hoy realizan dichas labores en empresas contratista a nivel nacional y por ende la pérdida podría ser del más del 60% de la convención si lo vemos desde esa óptica cuantitativa, por no ser aún más realista, además de la perdida de la estabilidad que también era un golpe muy certero a toda la dinámica del sindicato a futuro, lo cual hoy es muy evidente.

Realmente uno se pregunta.

¿Qué paso...?

¿Por qué no hubo una reacción más coherente y contundente...?

Más aún que en dicha época se vivía un ambiente muy fraterno de unidad y de activismo sindical, donde muchos nuevos cuadros del sindicato venían forjándose con muchos deseos de confrontación para defender lo que hubiese sido necesario defender.

Me acuerdo que las reuniones que hacia el sindicato en el club infantas en Barrancabermeja, las cuales eran masivas, donde por no de decir que todos, pero si unos muy buenos porcentajes de al rededor del 90% del total de cada área entre ellas la refinería de Barrancabermeja, los campos de producción de casabe, cantagallo, y el centro con trabajadores directos, los cuales acudían a las reuniones que convocaba el sindicato después de las labores diarias, es decir existía mucha acogida, disciplina y empatía.

Aclarar que no se trata de buscar culpables, pero sí de buscar cuales pudieron ser las posibles fallas del proceso en general, que como cualquier otro proceso de la vida diaria, en donde las cosas no salen como queremos es apenas lógico buscarlas, para que encontremos donde hemos fallado, con la intención de obviamente aprender de ellas y no volver a repetirlas, por el contrario mejorar cada una de las estrategias, buscando perfeccionar nuestros procesos llámense como se llamen, creando de forma ordenada un paso a paso en donde para cada etapa del proceso se debe tener definido el que hacer, así las cosas estén saliendo bien o estén saliendo mal, es decir tener ya de antemano un manual para cada situación.

Y cada vez que encontremos errores se deben retirar del proceso para buscar una mejor forma de realizarlo, esto se debe realizar todo el tiempo hasta encontrar la mejor forma de hacerlo y ya en este punto se debe estandarizar y siempre buscar la mejora continua, todo va cambiando en el tiempo y cada día debemos de reformar nuestras estrategias en todos nuestros procesos de la vida.

Es importante mencionar que, por lo general en una negociación colectiva, existen para cualquier sindicato solo tres salidas posibles:

1. Que la negociación tenga éxito y llegue a un feliz término con un acuerdo entre empresa y sindicato que sería el mejor escenario posible.

En el cual cada parte según otros escenarios de experiencias muy parecidas, se debe ceder en sus pretensiones para buscar un punto intermedio de lo que a cada quien le interesa y busca, además de la fuerza y presión que cada quien realice para que sus resultados se den, pero que muchas veces depende de la resistencia y aguante de muchas personas que con el tiempo pueden ir cayendo en la desmotivación y terminar cediendo y eso no se puede controlar ya que va en la conciencia y moral de cada persona.

Para tener éxito en estos escenarios el tiempo es muy importante para cualquiera de las dos partes, por eso las decisiones deben ser tomas de forma consiente y de forma rápida, teniendo claridad de todo el contexto que se pueda presentar a futuro para cada una de las partes (Huelga o Tribunal de Arbitramento Obligatorio).

2. Proceder al retiro del Pliego de peticiones, lo cual lo han hecho muchos otros sindicatos, como por ejemplo sintracarbon (acá en Colombia), lo cual se hizo efectivo el 28 de marzo de 2020 en donde el sindicato sintracarbon le notificó a la Multinacional Carbones del Cerrejón que estaba retirando su pliego de peticiones el cual llevaba 60 días sin encontrar algún acuerdo, esto significaba dar por terminado el conflicto colectivo de trabajo y la Convención Colectiva de Trabajo 2018 – 2019 se prorrogaba hasta el 30 de junio de 2020. Lo cual abría una nueva posibilidad de volver a denunciar la Convención Colectiva de Trabajo a comienzos del mes de mayo de 2020 para presentar un nuevo pliego de peticiones, y fue así como pudieron lograr firmar su nueva Convención Colectiva de Trabajo con vigencia del 1 de julio de 2020 hasta diciembre 31 de 2003.

Por mencionar alguno, y fue así como ellos (sintracarbon) lograron encontrar a futuro mejores oportunidades para plantear nuevamente la negociación colectiva con un mejor ambiente y en muchos casos como el mencionado, los resultados fueron positivos.

3. Al no conseguirse ningún acuerdo cada una de las partes tienen una posible salida, y deben tomar la decisión de forma consiente y rápida ya que cada proceso tiene sus tiempos pertinentes, dichas decisiones son, El Tribunal de Arbitramento Obligatorio, que como pudimos observar, en

algunos casos solo deja desventajas para las pretensiones del sindicato.

La otra decisión es la realización de la Huelga, la cual es un mecanismo legal y político que tienen los trabajadores representados en su sindicato para buscar en un último escenario lograr un acuerdo. Pero existen al parecer dos formas de poderla llevar a cabo y es allí donde internamente surge el debate para ponerse de acuerdo y definir qué tipo de huelga realizar, si de forma política mediante la aprobación de la asamblea de delegados del organismo sindical o mediante las disposiciones legales vigentes, mediante votación secreta de los trabajadores al interior de la empresa para aprobar o no la huelga con la intermediación del Ministerio del trabajo. Que más adelante miraremos como fue que se pudo aprobar esta decisión en la huelga del 2004.

En este capítulo podemos analizar de forma muy real como las decisiones que tomemos y las que no tomemos siempre tendrán una consecuencia, la cual debemos de tener muy en cuenta antes de tomar cualquier decisión.

Como parte de este análisis en este capítulo es necesario hacernos varias preguntas.

1. ¿Por qué el sindicato permitió que se constituyera el Tribunal de Arbitramento Obligatorio, existiendo dos alternativas muy claras que podían ser utilizadas para

evitar su constitución, porque no se tomó una de estas dos decisiones al respecto?

2. ¿Por qué no se toma la decisión de realizar la huelga existiendo todos los argumentos requeridos en pleno conflicto de negociación?

3. ¿Por qué el sindicato no tomo la decisión de retirar el Pliego de Peticiones y espero un mejor momento para volver a negociar, esperando replantear las estrategias y un mejor escenario, así como lo hizo sintracarbon?

4. ¿Por qué el sindicato no tomo la decisión de presentarse al Tribunal de Arbitramento Obligatorio a expresar sus argumentaciones del pliego de peticiones y adjuntar la documentación necesaria y requerida?

5. ¿Por qué el sindicato no tomo la decisión de nombrar el árbitro que le correspondía nombrar?

En todo proceso debemos de realizar nuestra propia autoevaluación de lo que se hizo y lo que no se hizo y que se debe hacer para mejorar. Aunque aquí se esté hablando de este proceso en particular esto debe aplicarse para todas las acciones del diario vivir de cada quien, si no evaluamos nuestros resultados, realmente no sabremos: ¿si vamos bien?, ¿cómo realmente nos fue?, ¿qué debemos mejorar? y muchas otras situaciones que merecen nuestro enfoque con la intención de no volver a cometer los mismos errores y de conseguir los mejores resultados cada vez que repitamos un proceso igual o parecido.

Para resumir, podemos decir como conclusión de este capítulo y en la búsqueda de encontrar las posibles fallas, podemos concluir que no se tomó ninguna decisión de fondo para de alguna forma incidir en los posibles resultados que se pudiesen desprender de todo este proceso de negociación, como pudimos evidenciar existían dos posibles decisiones para ser tomadas que hubiesen evitado la consolidación de dicho tribunal, pero que no se tomaron (no tomar una decisión es también tomar una decisión) y ya constituido el tribunal se permitió que este actuará sin siquiera haber nombrado un árbitro que conociera y defendiera la convención anteriormente existente, entregando al final un laudo con consecuencias que aun hoy en día sigue sin ser resueltas de fondo.

Y, por último...

Como se puede ver en la parte del resuelve de dicho Laudo Arbitral del año 2003, donde se toma la decisión por parte del Tribunal (deróguense los artículos 2do, 3ro, y 121), lo cual, desmembrada su Convención Colectiva, razones más que justas para haber realizado la tan nombrada huelga, que solo se quedó en una consigna llamada a ser recogida...

"Antes que Tribunal, Huelga General..."

Esta consigna que siempre se grita en cualquier actividad del sindicato, llámese paro, mitin, etc…, es un coro por todos los trabajadores en una sola voz, para darle a entender a la empresa que tenemos esa herramienta y que, si vemos en peligro la existencia de la Convención Colectiva, el futuro de los trabajadores y la empresa se hará uso de ella sí o sí…

En esta ocasión se permitió que se diera todo el proceso del Tribunal de Arbitramento Obligatorio. Que concluyera en un Laudo Arbitral Obligatorio el 09 de diciembre del año 2003, muy nocivo para la Convención Colectiva de Trabajo, los trabajadores y sus beneficiarios en dicho momento y con grandes efectos a futuro, pero lamentablemente e inexplicablemente siempre se tenía el convencimiento, se decía y se gritaba en las consignas que antes de permitir la existencia de un Tribunal Obligatorio se tenía que realizar la huelga general.

¿Por qué entonces no se hizo la huelga en ese momento tan coyuntural y muy necesario…?

Se debió de aplicar la coherencia y hacer lo que siempre se gritaba, y aun hoy se sigue gritando en una sola voz de los trabajadores, en las consignas…

"Antes que Tribunal, Huelga General…"

Decreto 1760

L a segunda parte importante de esta historia **"Recuperando lo Perdido"**, la cual también es muy necesario contarlo, al igual que lo fuese el primer capítulo del Laudo, hace parte en su conjunto de todo el contexto del proceso que conllevo al desenlace de toda esta gran historia, fue cuando el Gobierno Nacional expidió el decreto 1760, el cual escindía a la actual Ecopetrol de ese momento, en tres estructuras distintas *(La Agencia Nacional de Hidrocarburos, Ecopetrol S.A., y La Sociedad Promotora de Energía de Colombia S.A.).*

Es importante mencionar que se tuvo información previa por parte del sindicato sobre los por menores en borrador de dicho decreto, motivo por el cual en su momento se llevó a cabo una gran jornada de paro en donde los trabajadores literalmente se tomaron la refinería de Barrancabermeja el día 21 de febrero de 2003 fueron suspendidas las labores, la refinería de Barrancabermeja en general fue paralizada, ese día fue una batalla campal en donde los trabajadores protestaron por las pretensiones de dicho decreto 1760, pero como de costumbre la represión con lluvia de gases lacrimógenos, maltrato, golpes, y mucho otros más, los cuales generaron el pánico en la cuidad, además de los constantes emisiones del pito de la refinería, lo cual alarmó a toda la población ya que esto no era normal, dicho pito sonaba a determinadas horas, como lo eran la hora de entrada y salida de los trabajadores pero ese día cada 5 minutos los trabajadores lo hacían sonar, alertando a la población de que algo malo estaba pasando en la refinería de Barrancabermeja y en especial con el futuro de la empresa petrolera, dicho movimiento de paro empezó con una manifestación pacífica, que se fue saliendo de control cuando la fuerza pública entro decidida a sacar a los manifestantes, hasta que llego el punto del enfrentamiento directo entre obreros y fuerza pública donde literalmente entraron más de 900 uniformados de la fuerza antidisturbios del ESMAD de forma agresiva a sacar a los manifestantes, todo ello estaba ocurriendo dentro de las instalaciones de la refinería, lo cual ya era bastante riesgoso debido a todos los productos inflamables que se manejan dentro de cualquier refinería.

Todo empezó cuando el sindicato en sus acostumbradas reuniones con los trabajadores los cito y convoco en una sola masa, a la cafetería central de la refinería de Barrancabermeja, siendo las 06:00 de la mañana en un área alrededor de la entrada donde todo el personal que normalmente ingresaba a trabajar esperaba los

Trabajadores al interior de la Refinería

respectivos transportes (buses, busetas y camionetas en general) para ser llevados hacia cada planta o área de mantenimiento en general; en dicho lugar decidieron reunir a todo el personal tanto de mantenimiento como de operaciones para presentarles un informe, al mismo tiempo se estaba presentando una emergencia en el muelle de la refinería en donde se estaba incendiando un remolcador que estaba cargando un producto muy volátil e inflamable, todo esto hacía que la tensión fuese mucho más grande para todos al interior de la refinería.

Cuando los dirigentes de la Junta directiva Nacional de la USO, Rodolfo Gutiérrez, Héctor Vaca, Roberto Smalbach Cruz y Juan Ramón Ríos entre otros, presentaban el informe sobre la posible imposición de dicho decreto 1760, los trabajadores empiezan a preocuparse y después de ello dan la orden de estar en máxima alerta y en asamblea permanente para tener a los trabajadores agrupados en dicho sitio, mientras ellos tomaban decisiones más a fondo del que hacer para evitar que dicho decreto fuese firmado y publicado, todo eso tenía tanto a trabajadores como a los Jefes de las plantas y demás en mucha zozobra y preocupación constante por lo que pudiese suceder.

Pero, como era de esperarse no se demoró la reacción de la administración de la empresa que muy al parecer solicito a los organismos de seguridad para que buscarán la manera de desalojar de las instalaciones de la refinería de Barrancabermeja a los más de 1300 trabajadores que se encontraban agrupados en asamblea permanente.

De forma gradual empezaron a llegar los uniformados del ESMAD, de inmediato los trabajadores reaccionaron y se dividieron por grupos desplazándose al interior de las diferentes plantas operativas de la refinería para evitar ser desalojados por la fuerza pública. Al mismo tiempo algunos trabajadores accionaban el pito de la refinería para alertar a la población, como una manera de pedir auxilio por la inminente confrontación y posible maltrato de la fuerza pública, dicho pito de la refinería era muy conocido por toda la población ya que sonaba todos los días seis veces al día, a las 5:15 am, 5:45 am, 6:00 am y 10:30 a.m., 12 md, y 4:30 pm. Pero ese día dicho pito sonaba de una forma inquietante y anormal para todas las personas habitantes de la ciudad que conocían sus ciclos, al escucharlo sonar cada 5 minutos, hacía que las personas del común pensarán que algo raro estaba sucediendo, por lo cual muchas de ellas al notar esta situación se acercaron a la entrada de la refinería para ver que estaba pasando, ya eso empezaba a agravar mucho más la situación.

Luego de mucha angustia de forma inesperada algunas plantas se empezaron a paralizar lo cual pudo haber sido por razones de seguridad para evitar situaciones que lamentar ya que allí existían variedad de productos inflamables y en grandes cantidades, como gasolina, diésel, aromáticos, disolventes, entre muchos otros, que podrían conllevar a una posible tragedia, en ese momento ya había más de dos batallones de fuerza pública al interior de la refinería dispuestos a sacar a la fuerza a los trabajadores que se encontraban replegados por las diferentes áreas operativas y así poder retomar el control de todas las operaciones.

Empezaron a ingresar por una entrada llamada la puerta de filtros que era la entrada al área restringida de las plantas operativas es decir sitio donde se debe entrar con ropa adecuada llamada ignifuga y con todos los implementos de protección personal y seguridad, pero en ese momento estaba entrando más de 900 uniformados la gran mayoría con toda su dotación como fuerza pública es decir armamentos y demás necesarios para dispersar los amotinamientos.

Los trabajadores al notar que ya se acercaban los más de 900 antimotines o personal de los escuadrones Móviles anti disturbios ESMAD y demás fuerza pública armada, hacia las primeras plantas de modelo IV, ácido y planta eléctrica, muchos trabajadores salieron de las plantas, para tratar de detener la llegada de la fuerza pública abrieron los hidrantes de agua de contraincendios en forma de cortinas y al tiempo activar de forma aún más constante y seguido el pito de la refinería como avisándole a los demás trabajadores que la situación se estaba saliendo de control y que muy al parecer ya era hora de salir de las plantas operativas y de la refinería.

Todo sucedió casi al tiempo las plantas que aún continuaban operando se empezaron a parar de forma escalonada una, tras otras, mientras tanto y al mismo tiempo los trabajadores buscaban la manera de salir sin ser agredidos, pero eso no iba a ser nada fácil, debido a que toda la refinería estaba acordonada por la fuerza pública y militar, se empezaban a ver las primeras señales de ataques con gases lacrimógenos, lo cual por un lado hacia alterar aún más los ánimos de los trabajadores y perjudicaba la movilidad, el humo de dichos gases irritaba la vista de los obreros y ya al llegar cerca de las puertas de entrada y salida de la refinería, para agravar un poco más la situación, dichas puertas estaban cerradas y trancadas, al parecer la orden era no abrirlas hasta que la fuerza pública golpease a los trabajadores, esto hizo imposible detener una confrontación directa entre la fuerza pública y los trabajadores de los cuales muchos fueron golpeados con los bolillos y escudos y demás instrumentos de dotación del escuadrón anti disturbios ESMAD, recuerdo que uno de los trabajadores de nombre Ricardo producto de dichos golpes le partieron uno de sus brazos y fue necesario entre varios trabajadores socorrerlo y en un carro del sindicato después de sacarlo de la refinería llevarlo a urgencias de la policlínica para que fuese atendido de forma inmediata, entre otros que llegaron por los diversos golpes de los diversos enfrentamientos y los gases lacrimógenos, poco a poco fuimos saliendo literalmente saltando por encima de las puertas de entrada y salida de la refinería debido a que no fueron abiertas para que los trabajadores pudiesen salir, esto fue una batalla campal, donde también algunos dirigentes del sindicato de la Junta Directiva de la USO y de la subdirectiva del área, fueron afectados con los golpes de los uniformados y por los gases lacrimógenos recuerdo que hasta el propio Presidente de la Junta Directiva Nacional de la USO Rodolfo Gutiérrez fue agredido por la fuerza pública pero su grupo de escolta lo ayudaron a salir de forma ilesa, entre otros dirigentes que estuvieron acompañando a los obreros en una batalla al interior de la refinería de Barrancabermeja.

Este recuento lo hago desde mi experiencia propia ya que también me encontraba en ese momento al interior de la refinería por estar cumpliendo mi turno programado como operador de plantas de dicha refinería y viví de primera mano todo lo sucedido.

No me lo contaron...

Luego de que ya todos los trabajadores salieron, se sintió un silencio profundo, la refinería había quedado apagada en su totalidad y esto se sentía en toda la ciudad.

Es importante anotar que esa fue la última vez que la población de Barrancabermeja escucharía el tan popular *"pito de la refinería de Barrancabermeja"* quien acompaño a la refinería y toda su población por muchos años atrás, el cual fue implementado en el año de 1922 por la Trocco oíl Company (el cual consistía en un flujo de vapor de 25 libras al cual se le aplicaba una reducción de presión mediante dos cilindros circulares lo que generaba el sonido muy característico para la población de Barrancabermeja, sonaba seis veces al día, a las 5:15 am, 5:45 am, 6:00 am y 10:30 a.m., 12 md y 4:30 p.m. Aunque los pitos de las 6 am y las 12 md se distinguían porque eran dobles. Además, se escuchaba también los 31 de diciembre a las 12 de la noche, y cuando ocurría alguna emergencia en la refinería), era ya un símbolo tanto de la refinería como

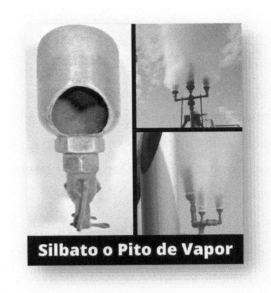

Silbato o Pito de Vapor

de toda la población alrededor de ella, por orden de la administración de la refinería fue desmantelado y desarmado para que nunca más volviese a ser escuchado...

Al día siguiente el sindicato convoco a los trabajadores nuevamente a la entrada de la puerta de la refinería, pero al llegar pudimos evidenciar que ya habían puesto concertinas y fuerza pública a varios metros de todas las entradas a la refinería, como en un campo nazi, en donde no se permitía el ingreso a ningún trabajador que no estuviese en los listados de los que ellos habían programado para su plan de contingencia o plan de emergencia.

La decisión del sindicato para ese día, fue que nos convocáramos en jornada de asamblea permanente en la entrada de la puerta principal de la refinería de Barrancabermeja y llevásemos a nuestras familias para estar allí de forma permanente en donde se dispuso la ya conocida olla del sancocho y demás elementos necesarios para poder permanecer allí todo el día, todos los días hasta que nos permitiesen entrar nuevamente a laborar a todos los trabajadores.

El primer día de asamblea permanente empezó un poco en desorden, poco a poco nos fuimos organizando por turnos para unos acompañar el turno de día y otros en el turno de la noche. Todo esto se realizaba en la entrada a la refinería en la calle en donde se fueron disponiendo carpas, sillas, mesas y todo lo necesario para poder acompañar esta jornada hasta que se abriesen nuevamente las puertas de la refinería.

Dicha asamblea permanente fue bien acogida por los trabajadores que cada día apoyaban más y más, las jornadas diarias se volvieron de acompañamiento, de socialización, de compartir entre los trabajadores y sus familias, mientras a la par los dirigentes sindicales de la Junta Directiva Nacional y de las subdirectivas del sindicato estaban en concentración interna permanente buscando y estudiando el que hacer para salir a confrontar nuevamente y evitar que dicho borrador del decreto 1760 fuese llevado a su firma y publicación.

Cada día transcurría en total armonía, la fuerza pública no se metía con los trabajadores y nos dejaron quietos allí afuera de las instalaciones sin ser perjudicados con gases lacrimógenos, ni con agresiones de ninguna otra índole, además todas las denuncias por violaciones a los derechos humanos en instancias internacionales de lo ocurrido ya habían sido interpuestas por el sindicato, lo cual nos daba alguna seguridad para poder estar allí protestando por el inconformismo de que dicho decreto 1760 fuese firmado y publicado.

Fueron pasando los días en completa calma donde los trabajadores se las ingeniaban para estar activos mediante juegos de diversas características, futbol, microfútbol, naipes, arrancón, parques, siglo, y muchos más, además de la interrelación entre todos los que día a día acompañaban esta protesta pacífica, esperando la directriz del sindicato en búsqueda de echar para atrás dicho decreto.

A la par de este acompañamiento de los trabajadores en la calle frente a la puerta de entrada de la refinería de Barrancabermeja, las reuniones de la Junta Directiva Nacional de la USO, eran más continuas y al parecer de gran debate interno, sobre las diversas posiciones que se estaban colocando sobre la mesa para salir a defender el futuro de la empresa como tal, lo que nos informaban de dichas reuniones es que habían algunas discusiones muy fuertes al interior de los dirigentes de la Junta Directiva Nacional de la USO, ya que al parecer el presidente de ese entonces el señor RODOLFO GUTIERREZ, proponía a sus demás compañero de Junta Directiva que se decretará la hora cero para llevar a cabo una huelga en Ecopetrol a nivel nacional, e incluso empezó a salir en los medios de televisión y comunicación más relevantes del país denunciando la difícil situación a la cual se enfrentaban los trabajadores petroleros con la posible salida a la luz pública del decreto presidencial que al parecer solo le faltaba la firma del presidente y ser publicado.

Lo que se pudo conocer sobre las discusiones y debates internos de la Junta Directiva de la USO Nacional, fue que no hubo conceso para tomar la decisión de decretar la hora cero y con ello iniciar la huelga en Ecopetrol, ni tampoco existió la decisión por lo menos de convocar a los delegados de la USO, para que fuesen ellos como máxima autoridad del sindicato los que tomasen dicha decisión tan importante y necesaria en ese momento trascendental.

Los días fueron pasando y llegando al día 32 cumpliendo más de un mes de estar en dicha asamblea permanente en la entrada de la refinería, es importante resaltar que como fue la empresa la que cerró las puertas y no fue por negligencia de los trabajadores para querer asistir a su trabajo rutinario, fue ella misma la que debió pagar todos los salarios inclusive en los horarios previos programados que cada quien tuviese en ese momento es decir tuvo que pagar con sobre tiempo y demás, en algunos casos inclusive recuerdo que a algunos trabajadores que previamente estaban programados en turnos de 12 horas, así mismo recibieron sus pagos estando afuera sin poder entrar es decir muy por encima de su salario normal.

Fue así que poco a poco la empresa empezó a abrir las puertas y a normalizar la entrada de todos los trabajadores y trabajadoras, obviamente ya la refinería estaba en su total normalidad operativa es decir ya estaba al 100 % de su operatividad con todas las plantas en operación normal, lo único que no había quedado en normalidad era el pito de la refinería que ya había sido desarmado y chatarrizado...

Hasta ese momento el decreto aún no había sido publicado ni firmado, pero por otro lado las discusiones al interior del sindicato seguían sin saberse a ciencia cierta qué rumbo iba a tomar el accionar del sindicato para poder buscar la manera de contrarrestar dicho decreto.

Luego muy al parecer debido a la no aprobación por parte de la Junta Directiva Nacional del sindicato de realizar la huelga como propuesta del Presidente RODOLFO GUTIERREZ, en ese momento se conoce de la renuncia de él, a dicho cargo de Presidente de la Junta Directiva del sindicato y de su acogimiento a su pensión de jubilación, lo cual fue un golpe bajo para todos los trabajadores petroleros y enviaba un mensaje al parecer de desacuerdo de él a todo el proceder de la Junta Directiva de la USO ante todo el proceso que se vivía en dicho momento con la muy posible imposición de dicho decreto y muy al parecer más que todo por la inmovilidad del sindicato ante semejante situación.

Lo lamentable fue que el proceso de la firma y publicación del decreto siguió su curso sin que el sindicato volviera a realizar alguna otra actividad de movilización con los trabajadores en búsqueda de evitar la publicación de dicho decreto, y fue así que el 26 de junio del año 2003 fue firmado y publicado el decreto 1760.

Luego de ello se hicieron algunos mítines de protesta en todas las instalaciones de Ecopetrol, ruedas de prensas y muchas otras actividades de información, entre otras, pero nada contundente, solo lo que hicieron los trabajadores junto con algunos pocos dirigentes al interior de la refinería de Barrancabermeja el 21 de febrero de 2003.

Hasta hoy, queda ese gran interrogante. (¿?)

¿por qué no se tomó la decisión de decretar la huelga en ese otro momento especifico de la historia donde estaban fraccionando a la empresa?

Ya que dicho decreto estaba dividiendo a la actual Ecopetrol en tres estructuras distintas (La Agencia Nacional de Hidrocarburos, Ecopetrol S.A., y La Sociedad Promotora de Energía de Colombia S.A.).

Como podemos evidenciar, dos duros y difíciles momentos, donde nadie sabe por qué no se tomó la decisión de realizar la huelga para defender su convención colectiva que estaba siendo desmembrada por el Laudo y el futuro de la empresa la cual estaba siendo escindía en tres estructuras distintas por el decreto 1760 ambos eventos en el mismo año 2003, realmente no se tomó ninguna decisión de fondo para evitarlo, que también es una decisión...

La Huelga

C omo pudimos evidenciar en los dos capítulos anteriores, ya se habían presentado dos eventos muy contundentes y de gran relevancias tanto para el futuro de la empresa como para los trabajadores de los cuales muchos trabajadores tuvieron que empezar desde cero a construir sus beneficios y derechos mediante nuevas convenciones colectivas con cada empresa donde continuaban haciendo lo mismo, pero con cada nueva empresas donde lograban un contrato por algunos dos o más meses y en algunas de ellas sin o con muy pocas garantías laborales.

Como también se sobrevenía para los trabajadores directos de Ecopetrol, el miedo de ser procesados y castigados por cualquier motivo, al no tener una estabilidad que le bridará mínimas garantías para atreverse a enfrentar las diversas desigualdades que podrían presentarse a futuro, en especial para los trabajadores directos afiliados a la USO.

Además de ello existía un mar de comentarios de un lado para el otro, como buscando quien tuvo la culpa de lo sucedido y por qué una cosa y la otra, salieron a la luz pública muchos comunicados tergiversando de los uno y de los otros, y fue así como en diciembre al parecer un sector de la Junta Directiva de la USO, saco un pronunciamiento también publico titulado: *Mensaje Obrero – sindical de navidad petrolera, clasista y combativa"*, haciendo las respectivas aclaraciones y además haciendo un llamado a la unidad para rodear al sindicato e incitando a la realización de una huelga.

Si, una huelga general, según ellos para "defender la empresa de ser fraccionada o privatizada", ¿Pero si eso ya lo había hecho el decreto 1760 y el Laudo del 2003...?

En su momento parecía un grito a la bandera, pero con el tiempo fue cogiendo fuerza esta solicitud que se hacía en dicho documento, la de realizar una Huelga general en Ecopetrol, la cual nunca quisieron hacer en los momentos más reales de gran necesidad.

Hoy ya con la paciencia que nos dan los años, el análisis a fondo de las cosas, y la madurez que nos trae la experiencia de convivir de cerca con el sindicato por más de 28 años, observo ese comunicado y recuerdo como nos reunían para "tirarnos la línea", por sectores o partidos políticos al interior del sindicato, en donde hoy puedo decirlo con la mente reposada y las emociones controladas, que no se nos decía la verdad completa de lo que realmente estaba pasando, creería que siempre quedaba dentro de los informes un fragmento de la verdad de la historia que nunca se contó ni se contará, y que al mejor estilo del marketing nos vendían la historia que ellos querían que nosotros viéramos, creyéramos e hiciéramos lo que fuese necesario hacer, por cumplir la línea política trazada desde la Junta Directiva, que uno como trabajador nuevo, observaba ese verbo que tenía algunos de los dirigentes de la época y como le hacían hervir la sangre a todos los obreros en esos discursos elocuentes, donde lo que había pasado, no era nada comparado con lo que nos iba a pasar si no salíamos de forma decidida a apoyar dicha huelga, era algo que no se podía describir alrededor de todos los obreros reunidos, donde de forma contundente siempre se aceptaba en un solo grito lo que se le proponía a los obreros y para el caso en cuestión, la huelga no iba hacer la excepción.

Dicho documento que salió a finales del año 2003 titulado *"Mensaje Obrero – sindical de navidad petrolera, clasista y combativa"*, donde ya habían sacado el decreto 1760 a la luz pública y el Laudo Arbitral Obligatorio había quedado en firme desde el 09 de diciembre de ese mismo año 2003 ambos sucesos en el mismo año y no se hizo nada contundente para detenerlos...

Allí se describe como desde la mejor campaña de marketing moderno se trae lo malo que alguien dijo de mi producto y poco a poco se le va dando la vuelta hasta que al final terminamos comprando no solo el producto inicial que aparentemente estaba defectuoso, sino también dos y tres productos más que muy posiblemente no nos van a servir para nada, pero bueno, eso es en muchas veces lo mágico del marketing, obviamente que no estoy diciendo que el marketing sea malo, por el contrario, con el marketing si tú te lo propones puedes vender hasta piedras y esto no es un cuento recordemos Gary Dahl, quien vendió piedras como mascotas.

El documento titulado *"Mensaje Obrero – sindical de navidad petrolera, clasista y combativa"*, inicia hablando sobre otro documento que salió con anterioridad, según se comentaba era escrito por otro sector de la Junta Directiva de la USO, donde al parecer criticaba de forma fuerte el poco o casi nulo accionar del sindicato por evitar que eso dos eventos lamentables (El Laudo Arbitral del 2003 y el Decreto 1760) quedase en firme y aun hoy fuese una realidad que sigue haciendo mucho daño.

Que en el fondo si dejaba mucho que pensar, pero siguiendo con lo del documento en mención, en el vemos como de forma muy bien redactada dice, que si se hubiese realizado la huelga en esos momentos de los dos eventos lamentables mencionados anteriormente, hubiese sido lo más grave para todos los trabajadores, al parecer tenían una bola mágica que les mostraba el futuro, en mi parecer creo que era puro cuento, ya que si se hubiese realizado la huelga en esos momentos, la huelga estaba más que justificada y muy posiblemente hubiese sido respaldada por muchos otros sectores de la sociedad, además lo más importante es que en dichos momentos coyunturales de cada evento (El Laudo Arbitral del 2003 y el Decreto 1760), existió tiempo suficiente para planear y hacer la huelga, antes de quedar en firme cada uno de ellos, es muy posible que el desenlace de esos dos lamentables sucesos hubiese sido otro, y sin ir tan lejos por que no se retiró el pliego como lo hizo sintracarbon. Sería bueno preguntarle a los que tenían la bola de cristal, cuál hubiese sido dicho resultado si se hubiera realizado la huelga o por lo menos se hubiese retirado el pliego de peticiones...

Obviamente que hacer una huelga no es cualquier cosa, requiere de mucho compromiso y trabajo, para realmente hacer una huelga con el efecto que esta debe tener, eso no es fácil hacerlo, decirlo si puede ser algo muy fácil.

Por lo general en una huelga debe existir **una parálisis de la producción total**, para que sea realmente una huelga, de no darse este resultado, tendría otro nombre, brazos caídos, mitin, asamblea de trabajadores, etc., etc...

No es solo decretarla y ya...

Es armar toda una estrategia con un paso a paso de cada etapa del proceso donde en cada situación y momento coyuntural se tenga una respuesta del que hacer, como, donde y cuando entre otras.

Para al final llegar a una mesa de negociación con una real anormalidad laboral y en dicha mesa buscar una solución de la problemática donde como dice al final el documento *"Mensaje Obrero – sindical de navidad petrolera, clasista y combativa"*: ***"Si las huelgas no paran la producción, las huelgas no sirve para nada..."***

Lo cual considero que es muy cierto y comparto en su totalidad ya que este debe ser el fin de cualquier huelga. Dicho documento al parecer se contradice por que con este eslogan que termina "Si las huelgas no paran la producción, las huelgas no sirve para nada", si tanto se repetía porque nunca se llevó a cabo como tal, en la huelga realizada en el año 2004, ya que lo estaban presentando como algo a realizarse si o si tal cual.

Dicho documento decía que se iba a realizar una huelga con parálisis total de producción, lo cual era el deber ser si se tomase tal decisión. Como tal si ya previamente se sabía que sin ese condicionante "Parálisis de Producción" de nada valdría hacer dicha huelga, no se entiende por qué se repetía tanto este eslogan desde mucho antes de nuevamente realizar una huelga donde su última evidencia era la huelga del año 1977 entre Ecopetrol y la USO, mínimamente se debía garantizar lo dicho, pero muy al parecer eso fue lo que se evitó al cambiarle el direccionamiento que le había preestablecido la máxima autoridad del sindicato *(La asamblea nacional de delegados del sindicato)*, si se hacía una huelga era para eso, para parar la producción, es decir solo se escribe, se dice, pero no se hace...

Además, en el documento los que lo escriben o el que lo escribe en representación de otros, estaba de acuerdo que había que hacer algo para contrarrestar esos dos duros momentos, pero en su momento no se hizo nada cuando se tenía todo para poderlo hacer.

Al final y mucho después, si se hizo... Cuando ya estaba todo consumado (El Laudo y el Decreto).

Como muchos de los despedidos decían: "Se hizo la huelga solo, para dejar una constancia histórica".

Es muy posible que dicho documento haya influenciado en algunos de los delegados, ya que fueron ellos los que al final dieron el visto bueno y aprobaron que se pudiese realizar la huelga, obviamente que no eran ellos los que la debían planear, realizar y decretar dicha huelga, era la

Junta Directiva Nacional del sindicato la que debía de hacer todo lo necesario para que su realización y ejecución fuese todo un éxito. Además de agregarle y garantizarle a la asamblea nacional de delegados el único condicionante que había dejado para poder decretar la hora cero, que al final fue totalmente desconocido por la Junta Directiva, más adelante hablaremos de ello.

En dicho escrito se decían cosas del pasado, de otras huelgas y sus malos desenlaces y duras represiones por parte del estado, como para justificar el por qué no se había hecho nada, reconociendo que en cada proceso se habían perdido más benéficos, además de la dura represión y despidos por doquier, es decir que era mejor no hacer nada, para no seguir perdiendo más, de lo ya perdido.

Este análisis pudiese ser aceptable entre comillas, ya que dichos procesos de confrontación que allí mencionaban, si no se planifica bien las cosas, pues difícilmente se puede tener el resultado que se espera y muy al parecer dichos procesos de confrontación también fueron improvisados, y tampoco se hicieron los análisis de los posibles errores para aprender de ellos, por lo cual era muy posible seguirlos repitiendo y repitiendo.

Pero no todo siempre fue así, la huelga declarada el 07 de enero de 1.948, cuyo comando nacional de huelga estaba conformado por Diego Montaña Cuellar, Víctor Julio Silva, Jaime Rubio, Tulio Echeverry y Pedro J Avellaneda.

Fue declarada Legal por el Juez Laboral Clímaco Buitrago Botello debido a que todos sus trámites se realizaron según las orientaciones del Dr. Diego Montaña Cuellar, donde cada etapa del proceso se ajustaba a lo establecido en la ley de ese momento. La cual tuvo mucho apoyo de todos los sindicatos a nivel nacional, dicho conflicto huelguístico fue resuelto mediante la fijación de un tribunal de arbitramento obligatorio emitido por la corte suprema de justicia el 24 de febrero de 1948 avalado por la Presidencia de la Republica.

El cual *"No podrá ocuparse en cuestión alguna referente a la interpretación y ejecución del contrato de la Concesión de Mares, de fecha 25 de agosto de 1919, celebrado entre la nación, el señor Roberto de Mares y la Tropical Oíl Company, en dicho tribunal de arbitramento los petroleros lograron lo siguiente: primero, el reintegro de todo el personal despedido, regresándolos a sus puestos de trabajos; segundo, mantener las actividades de explotación y exploración de los pozos petroleros, hasta el día en que revirtiera la concesión; tercero, como consecuencia del mantenimiento de las actividades, cuando el estado asumiera la explotación petrolera, no tendría que recibir en abandono sectores claves de la industria; y cuarto, aunque no obtenida mediante el tribunal pero sí emanada de la huelga y promovida con apoyo de los sectores populares, fue la intensa discusión que hizo viable la reversión de la concesión de Mares, a través de la Ley 165 del 27 de diciembre de 1948 que impulsaría la creación de la Empresa Colombiana de Petróleos."* (Copiado textualmente del documento: "El petróleo es de Colombia y para los colombianos": la huelga de 1948 en Barrancabermeja y la reversión de la Concesión de Mares).

Resaltar que para dicho Tribunal de Arbitramento Obligatorio los trabajadores petroleros delegaron al Abogado Diego Montaña Cuellar como su árbitro, la Tropical a su abogado Francisco Parodi y el Ministro de trabajo también designo a Jorge Soto del Corral como su arbitro para completar la terna de dicho Tribunal Obligatorio.

Es importante que conozcamos muy bien la historia para poder tener un contexto más amplio de todo lo sucedido en el proceso de la huelga del año 2004.

Lo que no se entiende, es por qué, si sabían que se podían perder otros beneficios al realizar una huelga en el año 2004, sin ser bien planeada y cuando digo de "bien planeada" no me refiero solo a la presentación de un pliego de peticiones con muchos puntos para pedir más y más, como dicen por ahí *"De pedir nadie se ha herniado..."*, lo digo desde la estructura de las estrategias de acciones y movilizaciones que se deben planear y realizar en los momentos más determinantes de una negociación colectiva o de cualquier proceso de confrontación, para no caer en el juego de nuestro oponente, el cual también tiene cada jugada calcula.

Y con ello poderle llevar el pulso a la negociación o confrontación desde el accionar de las bases en cada distrito, gerencia, departamento, puesto de trabajo, y así poder incidir en lo que más le duela a la contraparte que lo motive a realmente buscar los reales acercamientos para llegar a un acuerdo y no caer en el juego de dicha contraparte que sabe y conoce muy bien donde y cuando puede tener toda la situación del proceso de negociación y confrontación a su favor, el cual se da cuando el tiempo va pasando y los tiempos preestablecidos para solicitar un Tribunal Obligatorio se acercan cada día más, muy al parecer como sucedió en la negociación colectiva que permitió la existencia de hoy en día del Laudo Arbitral del año 2003, ya que se permitió que los tiempo pasará sin hacer nada en la mesa de negociación ni fuera de ella, hay es cuando ellos se dan de cuenta que no existe alguna estrategia contundente del sindicato para poderlos arrinconar en la vía de llevarlos a la mesa de negociación con las intenciones realmente verdaderas de negociar y no caer en un proceso preestablecido de arbitramento obligatorio, donde es muy posible que la empresa maneje muy hábilmente este escenario para ser ella quien termine haciendo e imponiendo la negociación según sus conveniencias para la administración de la empresa, más no, la de los trabajadores.

Y ya lo ha hecho en otrora, como lo pudiste evidenciar con todo lo sucedido en el laudo arbitral del 2003. No es un cuento de hadas, es sacado de la historia y de las realidades, puedes palparlo y leerlo, todo está en el Laudo del año 2003, más aún sin haber nombrado el árbitro que les correspondía nombrar para defender los intereses de los trabajadores en dicho Tribunal. Como si lo hicieron en el tribunal del 24 de febrero de 1948, la historia habla por sí sola.

Volviendo al documento anteriormente mencionado, este solo decía que se tenía que hacer una huelga, porque teníamos miedo, que éramos guerreros y teníamos que pelear, antes que nos dieran el golpe final y que teníamos que sacrificarnos para alcanzar metas y resultados, que caer sin resultados era ser miserables y cobardes.

Todo eso era un mar de falacias, para quedar bien después de haberse quedado inmóviles en el real momento donde si nos estaban prácticamente dando un golpe final. El laudo y el decreto 1760 ambos en el 2003, fueron el golpe más certero que recibieron los trabajadores y la empresa, que aún hoy se siente su efecto en todos lados, los cuales siguen más vigentes que nunca.

Lo que más lo pone a uno a pensar, es la insensatez que se evidencia en este documento al decirle a los trabajadores que se sacrificarán, como si ya supiesen lo que iba a pasar y que dichos sacrificios eran más que justos.

Y lo que aún es más incomprensible es: Que algunos de los dirigentes de dicha Junta Nacional ya tenían requisitos para pensionarse, es decir que así los despidieran, nunca iba a tener efecto dicho despido en ellos como tal, porque ya podían ser acreedores a sus pensiones. Entonces de que sacrificios es que ellos hablan, el que tendríamos que hacer otros y no ellos...

Así es muy fácil decirle al resto que debemos sacrificarnos, si tienen en sus manos la posibilidad de tener un ingreso y las demás garantías que tenían al ser pensionados, así fuesen despedidos, era ya un derecho adquirido que tenían ganado por su tiempo de trabajo y edad a la fecha, cumpliendo los requisitos del plan 70 el cual disponía un promedio de 50 años de edad y 20 años de trabajo o más, que entre ambos sumasen 70 puntos.

Y así adquirir su pensión de jubilación con algunas garantías adicionales como el servicio de salud prestado de forma directa por la empresa a sus trabajadores, pensionados y familiares inscritos, los planes de educación, vivienda y otros beneficios, los cuales continuarían teniendo sin ningún problema, es decir no estaban sacrificando absolutamente nada.

Así, cualquiera decreta las horas ceros de las huelgas que quieran hacer, donde nada está en juego para ellos como trabajadores o dirigentes sindicales, hay si no era razonable para ellos lo dicho en la huelga de 1977 *"Todos en la cama o todos en el suelo"*

Y se hacían llamar despedidos, cuando realmente nunca lo fueron como tal, ya que les efectuaron un despido en su momento, pero luego de algunos días se pensionaron. Sin conocer en carne propia las reales y grandes dificultades que puede conllevar un despido como tal, de todos los despedidos que mediante al acta de levantamiento de la huelga pudieron conseguir y acceder de forma directa a la pensión plena y proporcional, solo dos de ellos no la aceptaron y decidieron acompañarnos en este duro proceso, ellos si son dignos de ser llamados despedidos como lo fueron Manuel Pianeta y Wilson Ferrer.

Además...

¿Por qué y para que se iba a sacrificar a muchos de los trabajadores en una huelga donde ya todo lo que quería privatizar y dividir, como tal la administración de Ecopetrol lo había logrado con el Laudo y el decreto en el año 2003?

Como podemos concluir, ya el sindicato tenía un único plan a seguir, que era realizar la huelga, sí o sí.

Así solo fuese para dejar una constancia histórica y algunos quedasen sacrificados como ya lo estaban justificando, desde mucho antes de realizarse la huelga, lo decían varios de sus dirigentes nacionales en los diversos discursos.

"En toda guerra siempre hay heridos, sacrificados o damnificados"

Pero algunos de ellos ya tenían asegurada una Pensión de jubilación, por si de pronto eran despedidos...

Es decir que los sacrificados iban a ser otros, no ellos...

Así cualquiera...

La Junta Directa Nacional del sindicato convocó a sus delegados a una asamblea ordinaria nacional de delgados para debatir el tema de la huelga con la firme intención que dichos delegados la aprobarán.

La cual se realizó en la ciudad de Fusagasugá, a donde acudieron todos los delegados de la USO a nivel nacional, se pidieron los permisos, tiquetes aéreos y todo lo relacionados para que se pudiese realizar dicha asamblea.

De Barrancabermeja salió un avión casi lleno de delegados, incluso la aerolínea tuvo que enviar un avión de los más grandes, que casi nunca llegaba a esta ciudad por manejar un flujo pequeño de usuarios, pero para dicho suceso enviaron uno bastante grande el cual viajo con todo su cupo lleno más que todo de delegados de la USO desde la ciudad de Barrancabermeja, recuerdo una anécdota, del compañero Hernán González, a quien le conocemos y llamamos "TEGO", quien le tenía mucho miedo a volar en aviones y todo el vuelo fue muy emotivo gracias a los diversos sustos y gritos del compañero, cuando pasábamos por las zonas de turbulencia, fue un vuelo lleno de mucha adrenalina y risas gracias a los susto que nos daba el compañero "TEGO".

Llegamos un promedio 120 trabajadores directos de Ecopetrol con su calidad de Delegados a la ciudad de Fusagasugá de diferentes ciudades del país, quienes fuimos elegidos previamente mediante votación directa de todos los trabajadores de la empresa en cada gerencia, campo de producción o distrito, a nivel nacional donde existía Ecopetrol.

Al principio se realizó el tema del hospedaje y ubicación de las personas convocadas al evento, delegados, dirigentes de todas las subdirectivas, dirigentes de la Junta Directiva Nacional, los asesores e invitados, así como también la acreditación de todos los delegados con su respectiva escarapela, la cual era el instrumento con el cual se realizaba el conteo de los votos de cada delegado, al levantar o no la mano para aprobar o no aprobar cada una de las propuestas en dicha asamblea.

Los primeros días de la asamblea fueron llevadas en total calma, los temas tratados eran los informes y situaciones internas del sindicato, más que todo de información general hacia los delegados.

Pasadas las primeras dos semanas, se empezó a tratar realmente el tema central de dicha convocatoria a la asamblea, "LA HUELGA".

El cual primero que todo era el de debatir los motivos por los cuales según la Junta Directiva Nacional debía de realizarse una huelga en Ecopetrol, y poder desde ese inicio empezar los debates y temas de discusión buscando finalizar con un conceso de todos los delegados para aprobar la realización de dicha huelga en Ecopetrol.

Los debates iban y venían y no habían puntos de encuentro, fueron necesarios que los dirigentes hicieran reuniones parcializadas o por sectores lo cual era mucho más fácil para ellos poder hablar con los delegados desde cada sector político al interior del sindicato, y así comprometerlos de la necesidad *"según ellos"* de realizar la huelga en Ecopetrol, luego de muchas horas, días, noches y semanas intensas de trabajo, conferencias, debates, reuniones por sectores y demás, se logra tener el consenso para que los delegados pudiésemos ya en la asamblea general aprobar la huelga en Ecopetrol, y fue así como de manera unánime todos los delegados el 15 de enero de 2004 levantaron su escarapela para aprobar la huelga en Ecopetrol con parálisis de producción y respaldar con esta decisión a la Junta Directiva de la USO Nacional dándole la autonomía para que apenas estuviese todo debidamente y previamente organizado, estructurado y planeado donde se garantizará la parálisis de producción en todo Ecopetrol a nivel nacional desde el mismo día en que iniciase dicho cese, momento en el cual podían decretar la hora cero de dicha huelga.

Es decir que antes de realizar la huelga debían de tener toda una estructura organizativa que garantizase el éxito de dicho conflicto colectivo, ese fue el compromiso por el cual la asamblea decidió aprobar la realización de la huelga en consenso, al parecer esa fue la tarea que nadie superviso y nadie realizo...

Dicha decisión de realizar la huelga en Ecopetrol, fue tomada por la asamblea de delegados mediante las premisas de: Echar para atrás el decreto 1760, al igual que el Laudo que resulto del Tribunal de Arbitramento Obligatorio como resultado final de la negociación colectiva que inicio el 10 de febrero de 2003 y que termino sin negociación el 21 de marzo de 2003, revisar la forma como se fijan los precios de los combustibles, recuperar el manejo soberano de los hidrocarburos, privilegiar el interés nacional de los hidrocarburos, entre otros puntos.

Como podemos evidenciar eran temas de gran relevancia y muy difíciles de conseguir, y que desde su inicio se sabía que dicha huelga debía ser muy contundente, es decir que si realmente se quería lograr los objetivos trazados se tenía sí o sí que garantizar la parálisis total de la producción para buscar una muy buena negociación...

En ese entonces también participe de forma directa en estos hechos ya que tenía la calidad de ser delegado principal de la asamblea para ese momento coyuntural, es decir que tampoco me lo contaron. Hay estaba en carne propia en dicho evento de gran trascendencia.

¿qué quería decir eso "de la parálisis total de la producción en Ecopetrol"?, pues ni más ni menos que cuando iniciara la huelga se debía garantizar que en todos los sitios donde existiese actividades que realizase Ecopetrol de forma directa e indirecta debían ser paralizadas y garantizarse que no se iba realizar ninguna actividad productiva en las refinerías de Barrancabermeja y Cartagena, campos de producción, los oleoductos y cualquier sistema de transporte de hidrocarburos y sus derivados y demás estaciones y lugares donde Ecopetrol realizase cualquier operación es decir que todo tendría que quedar apagado o paralizado como por ser más claros.

Para ello la Junta Directiva se comprometió a realizar y llevar a cabo un plan muy retador a nivel nacional y general junto con los trabajadores afiliados, para que se garantizará dicho direccionamiento de la máxima autoridad "La asamblea Nacional de Delegados de la USO", la cual fue la única condición que le coloco dicha asamblea a la Junta Directiva Nacional de la USO, para aprobar por consenso que se pudiera decretar la hora cero de la huelga en Ecopetrol, que solo cuando la Junta Directiva Nacional de la USO, presentase un plan ya ejecutado que garantizase la parálisis de la producción a nivel general en toda Ecopetrol, podían decretar la hora cero de la huelga general entre la empresa "ECOPETROL" y la Unión sindical obrera de la industria del petróleo "USO"...

EL Plan, las estrategias entre otras tareas al parecer nadie realizo ni ejecuto, es decir que de nada sirvió todo el análisis del que hacer, como hacer la huelga, y muchos otros aspectos concernientes a la ejecución para garantizar la parálisis total de la producción en Ecopetrol, entre otros debates que se hicieron en la asamblea, y que concluyo con dicho direccionamiento que al parecer nadie quiso realizar o ejecutar y muy posiblemente, ese aspecto pudiese haber sido el factor determinante para cambiar dicho direccionamiento, al no tener nada planeado y sí que menos ejecutado...

Esta es una gran enseñanza, que siempre replico en cualquier situación y es que, detrás de las palabras debemos revisar los hechos, muchas personas hablan, dicen, se comprometen a hacer cosas y muchas veces no queda nadie responsable de dichas acciones y con el pasar del tiempo van quedando a la deriva, por eso es muy importante que a cada decisión debemos colocar responsables y una planificación detallada con fechas de las diversas pequeñas tareas a ser ejecutadas, para poder llegar al logro de los grandes objetivos (*un objetivo, meta o sueño, sin planeación y acción como tal, solo será un sueño*)...

Al recordar lo sucedido en dicha asamblea es de resaltar que todas las subdirectivas a nivel nacional del sindicato, presentaron al parecer informes amañados de sus situaciones internas, ya que todas las subdirectivas informaron a la asamblea estar al 100% de recursos y disciplina de todos sus asociados para acatar la directriz de participar en la huelga. Pero..., al parecer dicha información presentada, no era totalmente cierta.

La huelga fue declarada y llevada a cabo a partir del 22 de abril del año 2004 a las 9:40 am mediante declaración pública del Presidente de la Junta Directiva Nacional de la USO, Gabriel Alvis Ulloque, quien en compañía de Roberto Smalbach Cruz y Hernando Hernández integrantes de la Junta Directiva de la USO, se presentaron en la puerta principal de la refinería de Barrancabermeja y a dicha hora 9:40 am declaraban la hora cero, para que todos los obreros y obreras se unieran a la huelga y se presentaran a las diferentes sedes sindicales de todo el país.

En el recorte de periódico "EL ESPECTADOR", se puede apreciar la foto del momento justo en el que los tres dirigentes de la USO Nacional, en representación de la unión sindical obrera de la industria del petróleo "USO" estaba decretando la hora cero del inicio de la huelga en Ecopetrol.

Y en su declaratoria dijeron que era una ***"huelga política"***, lo cual desconocía el direccionamiento de la máxima autoridad, la asamblea de delegados que después

Recorte del Periódico de circulación nacional "EL ESPECTADOR", la foto es del momento en que se decretaba el inicio de la Huelga en Ecopetrol.

de muchos debates les había aprobado decretar la huelga con el único condicionamiento que se garantizará la parálisis de la producción a lo largo y ancho del país donde estuviese cualquier actividad productiva de la empresa Ecopetrol.

Lo cual no se hizo...

Aún hoy nos preguntamos, en donde quedo lo que tanto replicaba el documento que salió a finales del año 2003 titulado *"Mensaje Obrero – sindical de navidad petrolera, clasista y combativa"* que decía ***"Si las huelgas no paran la producción, las huelgas no sirve para nada..."***

Solo se hicieron muchas marchas con los trabajadores que acompañaban la huelga y la comunidad en general de la ciudad de Barrancabermeja, muchas de ellas muy concurridas y desbordadas de pueblo y en otras ciudades del país. Pero la producción a nivel nacional sin ninguna afectación.

Dicho direccionamiento de la asamblea de delegados, no fue tenido en cuenta, muy a pesar que la Junta Directiva de la USO sabía que, en cualquier actividad de paro, brazos caídos y cualquier otra, mucho más en especial una huelga, si no llevaba un condicionante de parálisis de producción dejaría al sindicato sin una moneda de cambio para poder negociar de forma favorable las peticiones que esta pusiese sobre la mesa a la hora de negociar ya que no tenía nada para ofrecer.

Es decir, que todo el debate internos entre la Junta Directiva Nacional de la USO y los delegados buscando un acuerdo para el conceso en aprobar la realización de la huelga, en donde se debatió a profundidad el cómo se debía hacer para garantizar el éxito de la misma y en donde el punto de encuentro para buscar dicho consenso fue la parálisis de producción, por lo cual no se entiende, el desconocimiento de la Junta Directiva a dicho direccionamiento de parálisis de producción y como mencionamos anteriormente, la tarea no se ejecutó y sí que menos se garantizó, al parecer ese pudo haber sido el factor que motivo el cambio del direccionamiento de parálisis de producción que exigía la asamblea como máxima autoridad del sindicato a la Junta Directiva Nacional para poderle aprobar la realización de dicha huelga...

En el momento que estaban declarando o decretando que la huelga era **política** y no con **parálisis de producción**, los delegados que conocíamos del direccionamiento que fuese con parálisis de producción, motivo por el cual se pudo encontrar el consenso para aprobar por parte de dicha asamblea nacional de delegados la realización de la huelga, hicimos las respectivas observaciones al respecto y lo que la Junta Directiva Nacional de la USO, nos decía y justificaba, del por qué se debía hacer política y no con parálisis de producción es porque según ellos existía un alto riesgo de encarcelamientos, procesos penales, despidos y otros temores si se realizaba con parálisis de producción, cosa que era apenas lógico y que al final sucedió también al ser política se dieron despidos, encarcelamientos, entre otros, lo cual indicaba que era solo un pretexto para no haberla realizado con parálisis de producción, hasta hoy nadie sabe a ciencia cierta la verdad del porque no se hizo como estaba planeada, nos tocaría preguntarle a la persona que tenía la bola de cristal en la Junta, para que nos respondiese qué hubiese pasado si se hubiese realizado la huelga con real parálisis de producción a nivel nacional, o si existían otras razones del por qué la Junta Directiva Nacional de la USO, tomo la decisión de desconocer los lineamientos de la máxima autoridad que era y aun hoy en día es la asamblea nacional de delegados del sindicato y cambiarle el sentido y el carácter de la huelga, lo cual dejaba un gran vacío y una respuestas a futuro que nadie nunca responderá...

El resultado de dicha huelga dependía solo de la voluntad de los trabajadores en querer dejar por su propia iniciativa las instalaciones de cada sitio de trabajo en cada ciudad donde estaban los centros de producción para de alguna forma esa inasistencia de los trabajadores afectase de forma directa la producción, lo complicado para el sindicato era que muchos de esos trabajadores eran del personal directivo y de confianza de Ecopetrol que hacían parte del tan nombrado "Plan de emergencias".

Era de conocimiento de la Junta Directiva Nacional de la USO, que ya existía el "plan de emergencias" en toda Ecopetrol que era un llamado que hacia la empresa a sus trabajadores de la nómina directiva y a trabajadores de la nómina convencional de su mayor confianza para que pudiesen entrar a laboral los cuales entraban escoltados por la fuerza pública y sus listados estaban en las porterías de cada entrada de los centros de producción para permitirles su ingreso, nadie podía entrar a ningún centro

La Refinería de Barrancabermeja Militarizada durante todo el tiempo que duro la huelga del año 2004. (Archivo Fotográfico Corporación Aury Sara Marrugo)

de producción, como podemos evidenciar en la imagen la refinería y todos los centros de producción a nivel nacional fueron militarizados como si fuese un campo nazi, donde solo se permitía el ingreso a las personas que ellos llamaban para hacer parte del PLAN DE EMERGENCIAS, además a dichos trabajadores que eran llamados, les entregaban bonificaciones en dinero por ser parte de este plan de emergencia, lo cual motiva a estos trabajadores a cumplir fielmente el llamado de sus jefes a desconocer las orientaciones del sindicato para que participarán de la huelga.

Podríamos decir que ese cambio del carácter de la huelga fue el talón de Aquiles para que la huelga no tuviese los resultados esperados.

Como también pudiéramos decir que se hizo una huelga que desde su declaración como "HUELGA POLITICA", estaba más que garantizado su fracaso.

Ya que desde el inicio se dejó que su desenlace estuviese en el cumplimiento o no de los trabajadores al llamado del Plan emergencia, lo cual se sabía que no iba a ser posible, ya que existía un equipo de trabajadores directivos entrenados para mantener la producción a nivel nacional llamado "PLAN DE EMERGENCIAS".

"Y ahora quien va a parar la producción", la respuesta era muy fácil...Nadie...

Por el contario muchos trabajadores no iban a las sedes del sindicato para esperar desde sus casas ser llamados al "plan de emergencias".

Sin ese condicionante de una posible parálisis de la producción para poder sentarse en una mesa con dicha moneda de cambio, era muy difícil que por lo menos se buscase dicho escenario por parte de la empresa, para dirimir dicho conflicto, ya que ellos mismo dirían "que vamos a hacer en una mesa de negociación", ¿a negociar qué?, Si la producción estaba en total normalidad y bajo el control de ellos...

Difícilmente la empresa estaría interesada en buscar un acuerdo de qué y para que, si desde el inicio siempre garantizaron al 100% su producción y hasta más, según el informe de los medios escritos de la ciudad que hablaban de que nunca antes en toda la historia la refinería de Barrancabermeja había producido tanto, es decir la producción se desbordo en un límite nunca antes visto.

Si bien se dio un acuerdo entre las partes, realmente fue más que todo, por la necesidad de parar la masacre laboral que se avecinaba con los 500 despidos de más que ya se estaban programado para los siguientes días, si la huelga persistía, que de pronto hubiese sido mejor, para que fuese más notoria la violación al derecho de huelga, que aún hoy en Colombia no existe una clara definición de hasta donde se puede proceder y que garantías tienen los trabajadores para poderla decretar, como si se puede realizar en otros países.

Dentro de este proceso es importante recordar que un mes antes de decretarse la huelga, la Junta Directiva Nacional de la USO direccionó a todas las subdirectivas para que realizasen jornadas de protesta por las diversas situación que habían sucedido en el año 2003 (Laudo Arbitral y Decreto 1760), el cual se realizó el día 24 de marzo de 2004 del cual, en la subdirectiva de

Barrancabermeja cuatro de sus dirigentes se repartieron en las dos puertas, la puerta principal estaban Alirio Rueda y Gregorio Mejía y en la puerta del 25 de agosto los señores Juvencio Seija y Fernando Coneo, en ambas puertas eran acompañados por dirigentes de la Junta Directiva Nacional de la USO, quienes decretaron ese día como paro de labores en la refinería de Barrancabermeja, motivo por el cual les fue abierto proceso disciplinario convencional a los cuatro compañeros de la Junta Directiva de la Subdirectiva Barrancabermeja, y mediante resolución # 1115 del Ministerio de Protección social, dicho paro fue declarado ilegal y mediante dicha resolución de ilegalidad fueron fallados los procesos disciplinarios convencionales el día 28 de abril del 2004 con el despido de los cuatro compañeros dirigentes de la subdirectiva de Barrancabermeja Gregorio Mejía, Juvencio Seija, Alirio Rueda y el Compañero Fernando Coneo, los cuales se convertían en los primeros despedidos de todo el proceso huelguístico. (según me informo el propio compañero Juvencio Seija uno de los cuatro despedidos en dicho momento)

Si bien al principio el desenlace de la huelga se veía con mucha normalidad e incluso un decidido apoyo de una mayoría de los trabajadores en acompañar dicha huelga, la cual se reflejaba en la ciudad de Barrancabermeja con mucha actividad debido al gran apoyo de la comunidad en general que se aglutinaba en las calles y se desbordaba en todas las grandes marchas que se hicieron y que podríamos decir fue lo más relevante e importante para referencia y resaltar en dicha huelga, ya que al interior de la refinerías y los campos de producción era otra la situación, muy notable y diferente ya que la producción seguía como si nada estuviese sucediendo.

Multitudinarias marchas, en la ciudad de Barrancabermeja, gran acompañamiento de las comunidades en general, pero la producción en Ecopetrol sin afectación alguna. (Foto Archivo Aury Sara Marrugo)

Existía un desconcierto al observar que las instalaciones de la refinería de Barrancabermeja la fuerza pública había acordonado las entradas con serpentinas con alambres de púas y personal militarizado, en donde dentro de la refinería para nada se observa ninguna parálisis, ya al interior de ella y demás centros de producción en el país, Ecopetrol tenía montado su **"plan de emergencias"**, con su personal directivo y algunos trabajadores convencionales es decir no directivos muchos de ellos afiliados al sindicato, lo cuales estaban alojados y con todas las comodidades respectivas para poder laborar los días que durase dicho proceso huelguístico, lo cual fortalecía mucho más el llamado ***"plan de emergencias"***, además del incentivo en bonos en dinero por cada día que laboraran todos los trabajadores en dicho plan de emergencias era un factor de motivación para ellos.

Este actuar de estos trabajadores en especial los afiliados al sindicato que se hacían al lado de la empresa mediante el plan de emergencias, para ayudar en este proceso de mantener la producción en todas las unidades de producción a nivel nacional donde estuviese Ecopetrol, desmotivaba a los demás trabajadores que se encontraban participando de forma activa en la huelga, lo cual se fue convirtiendo en una voz de inconformismo y de miedo en muchos otros trabajadores que poco a poco con el paso del tiempo empezaban a desfallecer.

Es decir que desde un principio la cosa no pintaba para nada bien, aunque en las calles de la ciudad de Barrancabermeja, las diversas marchas eran ríos de gente apoyando al sindicato y a los trabajadores que lo acompañaban, pero la producción en los mejores niveles cada día.

Con el pasar del tiempo en las sedes sindicales empieza el cuchicheo y reuniones de trabajadores preguntando entre ellos que podría pasar con sus empleos y cuál podría ser la reacción de la administración de Ecopetrol con ellos que estaban apoyando la huelga, algunos otros ni llegaban a las sedes sindicales y se quedaban en sus casas esperando muy probablemente el llamado de sus jefes para entrar a trabajar. Se empezó a ser muy conocidos por todos los trabajadores y comunidad en general la palabra "Patevaka" o "esquirol", la cual hacía referencia a los trabajadores que violentaban la directriz del sindicato de participar activamente en la huelga y por el contrario entraban a laborar haciéndole con este actuar un gran daño al movimiento huelguístico.

Por lo cual muchos trabajadores activistas empezaron a organizarse para ir a visitar a esos trabajadores que no llegaron a las sedes de la organización sindical.

Con esas visitas a las casas de algunos trabajadores por no decir que muchos que no llegaban a las sedes sindicales se supo que ya un gran número de trabajadores se habían metido a trabajar es decir se habían "patevaquiado", lo cual empezaba a influenciar aún más en los pensamientos de los trabajadores que continuaban acompañando el movimiento.

También se hicieron algunas llamadas para persuadir a los trabajadores que estaban dentro de las instalaciones y la respuesta de ellos es que estaban muy bien, tenían buena y mucha comida en las instalaciones del club al interior de la refinería de Barrancabermeja y que hasta tenían tiempo para pasar en la piscina de dicho club y refrescasen como si estuviesen vacacionando.

Todo esto colocaba a pensar a muchos de los huelguistas que poco a poco fueron disminuyendo la participación de presentarse en todas las sedes del sindicato.

Existía mucho temor en los trabajadores, ya que en los periódicos como EL ESPECTADOR entre otros se mencionaba y recordaba lo sucedido en otras huelgas como la del año 1977, la cual duro 67 días y dejo muchos trabajadores despedidos, muchos otros fueron encarcelados, en donde se decía que dicha huelga fue una de la más reprimida por el estado, donde todo era confusión y desesperación.

Lo cual nos llevó a investigar un poco más al respecto, donde pudimos constatar que los 217 despedidos de dicha huelga en su momento se pudieron haber evitado, ya que la empresa en cabeza de su Presidente Juan Francisco Villarreal Buenahora, le propuso al abogado Diego Montaña Cuellar, como vocero del sindicato para que le transmitiera al sindicato la propuesta que enviaba el como presidente de la empresa para ser analizada por el sindicato "que reintegraba a todos los trabajadores despedidos si suspendían el cese en ese momento, pero que a los dirigentes no los iban a reintegrar", quienes recibieron dicha propuesta y la pusieron en consideración en asamblea a todos los trabajadores en donde salió la muy célebre frase *"O todos en la cama o todos en el suelo"*.

Recorte del periódico El Espectador, del mes de mayo de 2004, donde se hace referencia a la huelga del año 1977

Dicha huelga fue decretada el 25 de agosto del año 1977, por el Presidente de la USO Jaime González y de Fedepetrol Edilberto Cabrera y cuando los trabajadores de la refinería de Barrancabermeja se movilizaban fueron detenidos por el ejército los trabajadores Florentino Martínez y Edilberto Cabrera, conducidos a los calabozos del batallón nueva granada de Barrancabermeja y a los pocos días enviados a la cárcel con una resolución de condena de 60 días de detención firmada por el alcalde militar de Barrancabermeja Álvaro Bonilla López. Lo cual sin saberlo se convertiría para Florentino Martínez, en la razón de peso que le daría a futuro el reintegro al único trabajador de los 217 trabajadores despedidos en dicho conflicto huelguístico, cuyos cargos de su despido era el de haber sido promotor y auspiciador de dicha huelga, lo cual no era cierto ya que pudo demostrar que estuvo privado de su libertad desde el mismo día que inicio la huelga, quien durante sus años de despedido decidió estudiar derecho y fuese el mismo Florentino Martínez el que diese dicha pelea jurídica y lograse su reintegro al demostrar que nunca pudo ser el promotor y auspiciador de dicho movimiento huelguístico al estar desde su inicio y por 60 día detenido y encarcelado de acuerdo a la resolución de condena firmada con el tradicional notifíquese y cúmplase por el alcalde militar de Barrancabermeja Álvaro Bonilla López. (Parte de la Información tomada de la página barrancabermejavirtual.com; de nombre "¿Cómo fue, hace 40 años, la huelga del 77?)

Ya volviendo a la huelga del 2004, el Gobierno y la empresa empezaron a organizar su sistema de defensa para contrarrestar dicha huelga, fue así que desde el mismo día que se iniciaba la huelga, el Ministerio de Protección Social la declara ilegal mediante la resolución #

1116 del mismo 22 de abril del 2004, día en que fuese decretara la hora cero de la huelga entre Ecopetrol y la USO, al parecer todo estaba fríamente calculado.

A los pocos días y con el amparo de dicha resolución de ilegalidad empiezan a darse los primeros despidos en Ecopetrol de las personas que estaban participando, lo cual

Se hicieron muchas marchas en la ciudad de Barrancabermeja, entre otras ciudades, pero ninguna de ellas afectaba la producción de las refinerías, ni de los campos petroleros en el país. Nunca existió parálisis de producción.

fue un duro golpe en la moral de los trabajadores. Lo cual calaba aún más en aquellos trabajadores que se dejaban influenciar por el miedo y muy posible la presión familiar de no perder sus empleos, que hoy veo algo muy razonable más aun cuando no se tenía nada previamente establecido para contrarrestar esta y muchas otras situaciones que si fueron tenidas en cuenta por la contraparte, entre otros aspectos que ya se han explicado con anterioridad.

Es importante recordar que lamentablemente en otros distritos como en el Oleoducto la cosa no fue bien recibida y según se informó que por orientación de uno de los dirigentes sindicales de la subdirectiva el cual les sugirió a sus trabajadores que entrarán a laborar, y fue así que un alto porcentaje de los trabajadores tomaron la decisión de entrar a laborar, conllevando con esto a una reacción en cadena ya que otros distritos como en la refinería de Cartagena muchos otros trabajadores llenos de temor decidieron también ingresar a laborar, y en general en otras áreas pero ya de forma un poco más reducida otros trabajadores ingresaron a laborar en dicho momento, todo ello hizo que el miedo empezará hacer sus efectos en los trabajadores que acompañaban la huelga a nivel nacional.

Muchos se preguntarán, y en donde estaban los dirigentes sindicales de la Junta Nacional y demás, que estuvieron haciendo durante todos los días que duró la huelga ya que la producción no fue impactada. Algunos de ellos muy al parecer se fueron para otras sedes a nivel nacional a persuadir a los trabajadores que salieran de las instalaciones de la empresa y otros ayudaban en la realización de las diferentes marchas que se hicieron durante todo el proceso muy evidentes en la ciudad de Barrancabermeja, Los medios escritos en esos momentos hacían mención al gran acompañamiento de toda la población del área de Barrancabermeja a dichas marchas, como también del aumento de la producción como nunca antes se había evidenciado...

Recuerdo una anécdota que se cuenta sobre dos dirigentes de la Junta Directiva Nacional de la USO, que fueron a persuadir a algunos trabajadores en determinada estación del oleoducto, donde en el día tomaban cerveza con ellos y en la noche dichos trabajadores se metían a trabajar, todo esto y más se iba metiendo en la mente de los que aún acompañaban el movimiento, viendo que cada día éramos menos acompañando la huelga y más los trabajadores que se hacían al lado de la empresa, ayudando a aumentar día a día aún más la producción.

Como podemos palpar la situación se empezó a complicar y cada día la incertidumbre de los trabajadores que estaban participando activamente de la huelga era mayor ya que cada día en las mañanas llegaban noticias de nuevos listados de trabajadores despedidos y esto llenaba aún mas de más miedo a todos los que aún seguían siéndole fiel al sindicato, por mi parte estaba tranquilo ya que tenía en mi mente que si me despedían este y muchos otros despidos serían negociados antes de levantar el movimiento huelguístico. Eso me había dicho el Presidente de la Junta Directiva de la USO Nacional.

Lo cual no era tan cierto, debido a que lo dicho por el Presidente de la USO en dicho momento de poderse conseguir el reintegro de los despedidos, eso pudiese ser posible, pero dependía de quién llevará él puso de los resultados de cada proceso, y ya en ese momento era muy visible de quien lo estaba ganado y según lo evidenciado la empresa tuvo siempre el control de lo más importante, "la producción" ...

Y como no podía faltar el 7 de mayo del año 2004, llegaba la notificación al sindicato de mi despido donde en negrilla mencionaba que, a partir del 8 de mayo del año 2004, ya no era más trabajador de la empresa Ecopetrol, ya que había sido despedido por estar participando en la huelga. *Duro momento para toda mi familia...*

Como anécdota de este momento recuerdo que el día anterior a mi despido me reuní con los trabajadores de mi sección, el departamento de Materias Primas y Productos de la refinería de Barrancabermeja, en donde uno de mis compañeros de nombre Nilson Pinilla se levantaba y nos dice que le acaba de informar un supervisor de nombre Orlando Espinosa, que estaba laborando en la refinería, que ya mi carta de despido estaba lista y que era muy probable que llegase al día siguiente, situación que fue tal y como Nilson lo estaba diciendo, lo cual hizo que muchos de los que llegaban a dichas reuniones no volviesen más y muchos otros entrarán a laborar.

Es decir que la estrategia del miedo, estaba dando sus frutos a la empresa. Los trabajadores que acompañaban la huelga, cada día eran menos y los despedidos más, situación muy complicada para todas y todos en especial los despedidos que cada día sumaban más y más...

En su momento tome con mucha calma y naturalidad mi despido, recordaba la conversación con el Presidente de la USO, él me había dicho que eso era algo normal y que antes de levantarse la huelga se negociaría el reintegro de todos los despedidos.

Mi mente inconscientemente se aferraba a unas palabras que en su momento era lo único que me quedaba y que con el tiempo se iban desvaneciendo lo cual me hacía cada día entrar en una realidad muy complicada y difícil de sobre llevar, lo cual me sirvió para entender y comprender que solo se puede creer en los hechos las palabras se las lleva el viento...

Como también nos prometían en todas las intervenciones en la sede sindical los Compañeros de la Junta Directiva Nacional en especial sus voceros entre otros, quienes nos decían a todos los trabajadores despedidos en dicho momento, que hasta que no fuésemos reintegrados todos los trabajadores despedidos no se levantaría la huelga...

Recuerdo mucho el énfasis que hacia el compañero despedido Edgar Pérez, el cual siempre les gritaba y les decía "que eso que decían fuese cierto, que no fuesen a firmar un acuerdo de levantamiento de la huelga sin reintegrar a todos los despedidos", creo que tenía cierta desconfianza. Al final lo que percibía el compañero Edgar Pérez fue algo muy cierto. Se firmó un acuerdo de levantamiento de la huelga dejando sin el reintegro como tal a sus despedidos.

Vuelvo y repito lo antes mencionado, solo debemos creer en los hechos, lo demás no cuenta. Lamentablemente lo prometido nunca se cumplió...

Los despidos se fueron sumando día a día hasta llegar a un número muy alto de **248 en total** y pudiendo haber sido muchos más.

Acá quiero aclarar algo sobre el número total de despedidos de la huelga del 2004.

Realmente el número de despedidos que dejo desde el día que inicio de la huelga hasta que termino, fueron un total de 248, pero recordemos que antes de empezar la huelga se realizaron los primeros despidos del proceso mediante la resolución # 1115 emitida por el Ministerio de Protección Social que declaraba ilegal el paro realizado el 24 de marzo de 2004, motivo por el cual procedieron a despedir a los compañeros Gregorio Mejía, Juvencio Seija, Alirio Rueda y el Compañero Fernando Coneo, además sumarle el despido del compañero Jhon Freddy Restrepo quien era el Presidente de la subdirectiva de Villavicencio (El llano) y quien fuese despedido semanas después de haber sido levantada la huelga y por quien el sindicato insistió para que también fuese tenido en cuenta dentro de todo el paquete de todo el proceso de los despedidos del conflicto de la huelga del 2004, lo cual nos da un resultado total de ***253 despedidos en total*** de todo el proceso huelguístico.

Concentración de los trabajadores en la sede del sindicato en Barrancabermeja, (Archivo Fotográfico Corporación Aury Sara Marrugo).

En el tema de las notificaciones que llegaban cada día de los nuevos despidos, los cuales se recibían normalmente mediante el fax de la Secretaria de la USO Nacional, pero que existió ya en los últimos días de dicho cese una notificación un poco inusual, en donde se vislumbraba un posible acuerdo de levantamiento del movimiento huelguístico, más que todo para frenar al parecer la notificación de 500 trabajadores de su muy posibles despidos, sumados a los que ya estaba previamente notificados, y que muy al parecer también ya estaban sus cartas de despidos listas y a la espera de dicho proceso del levantamiento del cese, para proceder o no a enviarlas al fax de la USO Nacional.

Dicha notificación inusual se dio en la recta final del muy probable acuerdo de levantamiento del cese, en donde se presentó un compañero trabajador de la refinería de Barrancabermeja, cuyo nombre me reservo por petición de él mismo, quien comenta, que cuando iba subiendo hacia la oficina de la secretaria que recibía mediante el fax la llegada de los nuevos listados de trabajadores despedidos, se encontró en las escaleras del edificio de la USO nacional entre el primero y segundo piso, con un dirigente de la Junta Directiva de la USO Nacional, quien en un tono de burla le dice al compañero trabajador, las siguientes palabras "Camarada lo mordió la perra", a lo cual el compañero le replica y le dice que no le han notificado nada, de lo cual de inmediato el dirigente saca su teléfono y llama a la funcionaria de Ecopetrol, encarga de todos los temas sindicales y de personal entre otros, para pedirle a ella le notificará en ese momento los nombre de los últimos despidos, de inmediato ella le notifica el nombre de 15 trabajadores entre esos el del compañero con el cual estaban interactuando (el dirigente y el trabajador), lo cual de alguna forma ayudaba a que dicha notificación de momento telefónica se hiciera efectiva como ultima cochada de despidos de todo este proceso, para redondear la cifra de 248 trabajadores despedidos en total de la huelga.

Decir también que algunos de los dirigentes de la Junta Directiva Nacional de la USO, desde antes de ser declarada la huelga disponían de los requisitos necesarios para pensionarse con el plan 70 suscrito mediante convención colectiva de trabajo (el cual consistía que todo trabajador que tuviese 20 años de trabajo mínimo y que sumados con la edad diera el resultado de 70 puntos o más, podía pensionarse directamente con Ecopetrol), el cual estaba vigente para la época de los hechos.

Es importante recordar que ya para los días finales de la huelga después del día 30 se supo que venias 500 despidos más, lo cual fue la gota que reboso el vaso, ya que el miedo de los que aún no estaban despedidos hizo que empezaran a presionar al sindicato a buscar la forma de levantar el movimiento huelguístico lo antes posible antes de que llegasen dichos despidos lo cual era una situación que dejaría al sindicato con una gran problemática y posiblemente alteraría aún más el resultado de dicho proceso huelguístico. Ya que era muy posible que el resto de trabajadores entraran a laborar de darse esa acumulación de gran cantidad de despidos y por sustracción de materia la huelga también se acabara.

Todo esto...

Más ya un gran número de despedidos que iban en el momento 248, puso al sindicato a buscar una salida negociada para que el número de despedidos no fuese mayor.

Después de más de 36 días de huelga y con la ayuda de muchas personas como concejales, miembros de la iglesia y parlamentarios entre otros representantes de instituciones y sindicatos amigos se logra un acuerdo para poner fin a este proceso de huelga.

Se firma un acta el 26 de mayo de 2004, en el salón rojo de la conferencia episcopal Colombiana donde se reunieron por parte del Gobierno Nacional: los doctores Luis Ernesto Mejía Castro y la Doctora Luz Stella Arango de Buitrago, por parte de Ecopetrol S.A., el Doctor Isaac Yanovich Farbajarz, Héctor Manosalva Rojas y Lucy García Salazar, como representantes de la Unión Sindical Obrera de la Industria del Petróleo –U.S.O.- Los señores Gabriel Alvis Ulloque, Hernando Hernández Pardo y Roberto Schmalbach Cruz. Así mismo se hicieron presentes como testigos de lo que allí se acordó, los representantes de la iglesia. Presbíteros Francisco de Roux Rengifo y Darío Echeverry González; los representantes de la CUT Señores: Carlos Rodríguez Díaz y Gustavo Triana Suarez;

por el consejo municipal de Barrancabermeja; los señores Daniel Patiño Mansilla y Claudia Andrade González, con el fin de llegar a un acuerdo para solucionar la problemática laboral en ECOPETROL S.A. (información tomada textualmente del acta del 26 de mayo de 2004)

La Junta Directiva Nacional de la USO, informando el acuerdo de levantamiento de la huelga. (Archivo Fotográfico Corporación Aury Sara Marrugo)

Pero siendo realistas lo que dice dicha acta de levantamiento del cese, respecto a que el acuerdo se realizaba para solucionar la problemática laboral no es como muchos pueden estar pensando realmente, muy evidentemente se evidencia y se observa que fue más que todo para evitar el despido de los más de 500 trabajadores de los cuales sus cartas ya estaban listas para ser enviadas al fax de la oficina de la USO NACIONAL. Es decir que se firma dicha acta más que todo para proteger a los trabajadores que seguían apoyando la huelga y evitar con ello los muy posibles despidos de más de 500 trabajadores a nivel nacional, que muy al parecer sino se hubiese buscado dicha salida decorosa, no hubiesen sido 253, sino alrededor de 753 despedidos en total o muchos más, sumándoles los 500 que ya estaban listos y se iban a efectuar de haber continuado el cese de labores.

Y el 28 de mayo se restablecen todas las labores e ingresan todos los trabajadores a ejercer sus labores rutinarias, tal y como lo hacían antes del 22 de abril del 2004 día en que empezó la huelga.

Pero, 248 trabajadores despedidos, producto de dicha huelga ya no podían ingresar a laborar ya que habían quedado despedidos, como único resultado de este conflicto huelguístico.

Sumándole los 4 compañeros de más despedidos previos a la huelga, hasta ese momento un total de 252 despedidos, faltando un despido de más, el cual se efectuó después de reiniciar las labores como lo fuese el compañero Jhon Freddy Restrepo quien era el Presidente de la subdirectiva del llano y quien fuese despedido semanas después de haber sido levantada la huelga. Para el gran total de 253 despidos del conflicto huelguístico entre ECOPETROL y la USO en el año 2004.

Es importante decir que muy al parecer y según los informes de todo lo sucedido, se pudo preestablecer que en varias subdirectivas no existió el apoyo de los trabajadores que se informó en la asamblea de delegados en Fusagasugá donde se informaba por todas las subdirectivas que se tenía el respaldo para participar de la huelga de más del 95 % de los trabajadores por no decir que el 100% como muchas subdirectivas lo informaron.

En donde áreas tan importantes como el oleoducto entre otras, brillaron por su ausencia en el acompañamiento total de sus trabajadores en su participación, lo cual fue motivo de discusiones internas en la Junta Directiva Nacional de la USO, que llevaron a sancionar a dirigentes en especial del oleoducto por su poca o casi nula participación.

Es posible decir que en su momento los compañeros del Oleoducto o sus dirigentes, se dieron cuenta un poco tarde de que tal decisión de hacer la huelga en dicho momento donde ya se habían ejecutado dos duros golpes que dividían la empresa y privatizaban muchas de las áreas que eran realizadas por los trabajadores directos, no veían la razón para seguir perdiendo más, además al observar que el direccionamiento de la asamblea de que fuese con parálisis de producción para que fuese contundente no había sido tenido en cuenta, lo cual garantizaba por el contrario su fracaso, todo ello hizo reaccionar a dichos líderes y trabajadores para que no se apoyase de forma decidida dicha huelga, si fuese ese el motivo por lo cual no apoyaron la huelga, diría que estaban haciendo un razonamiento muy importante y por ende su actuar pudiese estar dentro de lo razonable y aceptable, lo único inaceptable fue que dicho razonamiento (si fuese ese el motivo de la no participación en la huelga) hubiese sido por fuera de la asamblea nacional de delegados de la USO y mucho después de haberse tomado la decisión de hacer la huelga...

Fue así como algunas de las subdirectivas no acompañaron, ni apoyaron de forma decidida el movimiento huelguístico, al parecer no se informó en la asamblea de la realidad que existía al interior de cada subdirectiva con sus afiliados de los cuales muy al parecer no existía un convencimiento de sus afiliados de ir a una huelga en un momento donde ya todo estaba consumado y ejecutado con anterioridad por la empresa y donde no se había hecho nada, como también existía mucha incertidumbre de que pasaría con sus empleos, desmotivación al no ver un plan estructurado donde cualquier circunstancia estuviese contemplada que con ello se garantizase incluso algunos aspectos básicos de salud para las familias de los trabajadores que fuesen despedidos, además de toda una estructura jurídica para defenderlos de cualquier proceso jurídico, poco entendimiento a lo que nos estábamos enfrentando al parecer no existió una mayor ilustración de lo que significaba una huelga, sus procesos, la historia de ellas, las forma de poderlas ejecutar según la normatividad vigente entre otras, como también el temor de algo a lo que se enfrentaban con mucho desconocimiento.

O por el contrario sus razones de no salir a respaldar dicha huelga era porque si tenían claro el panorama y sabían que se estaba cometiendo un grave error en ir a una huelga en el momento que no era el indicado porque ya ese momento indicado había pasado y no se hizo nada para evitar la división de la empresa y la privatización de muchas de las labores ejecutadas anteriormente de forma directa, además de entender y conocer que existía ya un plan de emergencias estructurado que garantizaría la producción a nivel nacional, y aún más con el cambio de caracterización de dicha huelga, entendieron que no existiría un elemento de cambio para buscar realmente una posible negociación y que al cambiarle su caracterización de que fuese una huelga con parálisis de producción a que fuese una huelga política donde solo se realizarían marchas sin tocar para nada la producción, entendían que se garantizaba el fracaso total de dicho proceso huelguístico y por eso no lo apoyaron...

Lo cual fue determinante a la hora de mantener a todos los trabajadores por fuera de la producción, para que de esta forma dicha huelga política hubiese incidido en una parálisis de producción al no tener a la gran mayoría de los trabajadores respaldando dicha producción, buscando con ello una buena negociación, lo cual nunca paso debido a la ya consolidación de una estrategia de la empresa llamada Plan de emergencias para garantizar dicha producción. Además del ataque certero con despidos a los trabajadores de la refinería de Barrancabermeja, casabe, el centro, cantagallo y otras áreas en el país, lo cual genero mucho miedo e incertidumbre en muchos trabajadores que al ver todos esos despidos decidieron entrar a laborar y ser parte de dicho plan de emergencias...

Dejando al área de Barrancabermeja con el mayor número de despedidos siendo esto un duro golpe que conllevo a que el sindicato mediante acuerdo entre el gobierno y empresa buscara la mejor forma para evitar sumar más despedidos a dicho conflicto, en los últimos días de la huelga se tenía una información muy real, de que venían más de 500 despidos de más de los ya concretados 252, hasta ese momento, es decir una masacre laboral, dicha información hizo posible la firma del acuerdo del levantamiento del cese, para evitar dicho descalabro y acrecentar aún más la problemática para el sindicato al sumar en promedio de 800 trabajadores despedidos cosa que hubiese sido algo muy difícil de sobrellevar.

Para algunas personas que de pronto no leyeron y aún no han leído los acuerdos de dicho levantamiento del cese, y muchos otros que no saben y no se enteraron de todo el contexto de todo lo sucedido previamente antes de dicho conflicto huelguístico y su desenlace, repiten como loros lo que algunos quieren hacer ver a todo el mundo, que dicha huelga "fue un éxito", que es lo mismo que tapara el sol con un dedo. El que lo quiera aceptar así que lo acepte, no hay problema de pronto por desconocimiento, solo invitarlo a que verifique con documentos en mano de todo el contexto y las reales ganancias de dicho conflicto, no más...

Los trabajadores del área de Barrancabermeja apoyaron masivamente la huelga, lo cual significo que fuese la ciudad con mayor número de despedidos. (Archivo Fotográfico Corporación Aury Sara Marrugo)

Como pudimos ver y analizar con todo lo aquí presentado con documentos y datos reales de los sucesos vividos previos y durante el conflicto, es muy posible que se tenga una opinión más informada y concreta al respecto.

Incluso el mismo historiador Renán Vega Cantor, que realizo un trabajo de 2 tomos para la USO, de nombre PETROLEO Y PROTESTA OBRERA en el tomo 2 en la página 435, dice y ratifica que lo único que quedo de la huelga del año 2004 fueron los 253 despedidos nada más, lo demás que se pretendía no se logró.

Siendo objetivos podemos concluir que este proceso de la huelga del 2004 fue un rotundo fracaso, miremos la imagen que nos presenta el historiador Renán Vega Cantor donde se observa con mayor claridad todo lo que se logró y también lo que no se logró, es importante revisar la historia desde los hechos y no desde lo que se dice por ahí...

Es desde el análisis consciente de los motivos que nos llevaron a la huelga como lo fuese el decreto 1760 hoy en día sigue más vigente que nunca y avanzando a gran escala, y el laudo arbitral del 2003 y todo lo que esté privatizo y desmejoro de la anterior convención colectiva de trabajo que también aún sigue vigente como lo fueron en especial el artículo segundo que disponían las actividades que se podían contratar y cuales eran realizadas con personal directo hoy en día un gran porcentajes de las actividades son realizadas por empresas contratistas es decir que muchas de estas actividades fueron privatizadas al anular dicho artículo segundo, como también todo el efecto que tuvo la perdida de la estabilidad laboral la cual ha conllevado a que se despidan trabajadores con los llamados viernes negros, lo que corresponde a que de forma periódica la empresa despide sin ninguna justificación los trabajadores que necesite despedir haciéndolo por lo general los días viernes, eso es ya una actividad que se repite de manera muy frecuente...

Según todos los análisis y debates que se dieron en la asamblea de delegados que se realizó en Fusagasugá, donde se aprobó la huelga con parálisis de la producción, fueron encaminados a justificar la huelga para recuperar en especial esos dos grandes eventos desafortunados de la historia: *El laudo y el decreto 1760 ambos del 2003.*

Cuadro No. 7
Balance de la huelga de 2004 para la USO

Objetivo	Resultado
Recobrar el manejo soberano de los hidrocarburos	No se logró
Abrir un debate nacional sobre el Decreto 1760 y lograr su derogación	Se abrió un debate parcial, pero no se logró
Limitar el accionar de las transnacionales y privilegiar el interés nacional	No se logró
Consolidar un Frente Patriótico por la defensa de Ecopetrol	Se generó simpatía pero no se canalizó
Dotar a Ecopetrol de mecanismos y recursos para realizar la actividad petrolera	No se logra al lanzarla a la competencia salvaje con las transnacionales
Revisar la forma como se fijan los precios de los combustibles	No se logró
Anular el laudo arbitral y hacer respetar la Convención Colectiva de Trabajo	No se logró
Garantizar el derecho de asociación y libertad de los detenidos	Se logró parcialmente
Lograr el reintegro de los despedidos	No se logró

Fuente: Sergio Torres, "El movimiento obrero renuncia a su arma fundamental", Desde Abajo, julio 18 a agosto 18 de 2004, p. 6.

En la Página 435 del Libro Petróleo y protesta obrera, de los escritores: Renán Vega Cantor. Se observa claramente que no existió ningún logro en la huelga del 2004.

Y tal como lo menciona el historiados Renán Vega Cantor, tal y como podemos observar en el cuadro de la página 435 del libro *"PETRÓLEO Y PROTESTA*

OBRERA", donde sintetiza los resultados de la huelga, y concluye que no se logró absolutamente **NADA**.

Más bien se perdió ya que se debilito la confianza y disciplina sindical que tenía los trabajadores directos de Ecopetrol afiliados al sindicato, los cuales hoy ven un mitin, un paro o cualquier actividad sindical con mucho temor de ser procesados y/o despedidos

Por el contrario, la gran ganadora en este conflicto fue la empresa quien mantuvo al sindicato por varios años enredado buscando solucionar de alguna forma el tema de los **253 despedidos** que dejo el proceso huelguístico, entre otros temas que se desprendían de los efectos que había dejado el laudo y el decreto 1760 ambos del año 2003.

Es importante decir que si la huelga hubiese sido con una real parálisis de la producción es muy posible que nada de esto hubiese sucedido, incluso si se hubiese hecho en algunos de los dos sucesos anteriores es posible que dichos sucesos (Laudo y decreto 1760 ambos en el 2003) no hubiesen prosperado...

Más adelante estaremos narrando todos los por menores de cómo se consigue el REINTEGRO, de los 253 trabajadores despedidos que había dejado como único resultado este proceso huelguístico del año 2004.

E incluso, gracias a todos estos procesos de debilitamiento del sindicato, la empresa pudo articular la venta de acciones en el 2007 y la privatización de los oleoductos en una nueva empresa llamada CENIT.

Con estos otros sucesos podemos evidenciar el duro golpe que realmente se le dio a toda la estructura de la empresa y en especial al sindicato, donde hoy lo que falta por privatizar puede ya ser muy poco, pero como hemos dicho, cada proceso es diferente, esto para referirnos a los comentarios que hiciese el Presidente que lidero dicha huelga del 2004 que según él, era para evitar ser liquidados como a Telecom, lo cual fue determinado en la ley 790 del 2002 al igual que otras alternativas para las demás empresas del estado, lo que realmente no evidencio el Presidente de ese momento era que el proceso para Ecopetrol no era de liquidación era diferente su proceso aunque al final siempre fue un proceso de privatización como tal, el cual estaba enmarcado en esta dos grandes estrategias como lo fue inicialmente la de privatizar en un alto porcentaje todas las funciones o tareas que se realizaban al interior de Ecopetrol de forma directa con trabajadores directos para ser realizados mediante empresas privada hoy llamadas empresas contratista, lo cual lo logro con la imposición del Laudo Arbitral Obligatorio del año 2003 donde no se hizo nada para evitar la conformación de dicho LAUDO, y luego con la utilización de la mencionada ley 790 de 2002 que le daba facultades extraordinarias al Presidente de la Republica para: " d) Escindir entidades u organismos administrativos del orden nacional creados y autorizados por la ley, y (...) f) Crear las entidades u organismos que se requieran para desarrollar los objetivos que cumplían las entidades u organismos que se supriman, escindan, fusionen o trasformen cuando a ello haya lugar."

Obviamente que para cada empresa dicho proceso de privatización era muy diferente aunque al final el resultado sería siempre el mismo (buscar que empresas privadas fuesen realizado la gran mayoría de las tareas que desarrollaba cada una de esta empresas de carácter estatal) y como al referirnos de "¿cómo se come a una ballena?" y para el caso Ecopetrol que era un gran pez, obviamente no se podría digerir en un solo bocado era necesario realizarlos por pedazos y fue así como todo inicio con los primeros dos grandes mordiscos o pedazos, como lo fueron el Laudo Arbitral del 2003 y el Decreto 1760, ya el resto se ha podido ir efectuando de forma mucho más fácil ya que esos dos duros golpes aún siguen dando resultado, al ser muy fuertes, que dieron en su parte más incidente como lo sería la estabilidad de los trabajadores y la división en general tanto de la estructura de la empresa con el decreto 1760, como también al dividirla también con la contratación y privatización de muchas de las labores que se realizaban directamente al borrar de un plumazo el artículo segundo de la convención colectiva con el Laudo Arbitral Obligatorio del año 2003, ambos eventos ya habían sido ejecutados y dejados en firme en el año 2003, pudiéramos decir que la huelga se realizó un poco tarde...

Es decir que lo que decía el Presidente de la USO, en su comunicado público titulado, "La Historia nos dio la razón" que salió en el boletín oficial de la USO Nacional de fecha 22 de abril de 2005, que al final firma como Expresidente de la USO, en el cual si se revisa desde el fondo lo que quería expresar el expresidente no era más sino el de disculparse y quedar bien con todo mundo por todo lo sucedido y la poco o nula reacción del sindicato para defender la Convención Colectiva, en el momento indicado donde debía tomar una de las dos decisiones (retirar el pliego o haber realizado la huelga en ese momento previo al cierre de la etapa de arreglo directo de dicha negociación colectiva (Febrero 10 hasta marzo 21 de 2003) que hubiese evitado la constitución del Tribunal de Arbitramento Obligatorio y por consiguiente dicho laudo es posible que no existiese...

Justificando en dicho documento que Ecopetrol no se había privatizado gracias a la huelga, lo cual no es cierto, ya que dicha privatización ya se había realizado y con un gran avance delante de él y "al parecer él no se estaba dando de cuenta", o es que ¿al despedazar la Convención

Colectiva de trabajo, como lo hizo el Laudo del 2003 que era?, que de forma muy bien pensada por la administración en cabeza del Presidente de la empresa, quien estaba privatizando de forma directa muchas de las actividades que se hacían directas por Ecopetrol para ser realizadas por empresas privadas llamadas hoy en día empresas contratistas, al derogar y borrar de un plumazo el artículo segundo de dicha convención, sumado a ello la perdida de la estabilidad laboral de los trabajadores..., además de la división que le hizo a la estructura de la empresa el decreto 1760. Podríamos decir que la huelga fue la ñapa para acabar con la moral de los trabajadores y dejar al sindicato sumergido en un problema con 253 despedidos entre otros que se desprenden de esos dos eventos (Laudo y el decreto 1760 ambos en el año 2003) ...

Como también lo dicho en el anterior comunicado del cual ya hemos hablado anteriormente titulado *"Mensaje Obrero – sindical de navidad petrolera, clasista y combativa"* que decía **"Si las huelgas no paran la producción, las huelgas no sirve para nada..."**

No es posible entender por qué se hace una huelga para tener a todos sus trabajadores afiliados al sindicato paralizados e inmovilizados en todas las sedes sindicales a nivel nacional, cuando el elemento primordial "LA PRODUCCIÓN" no se estaba tocando para nada, como esperando allí de forma disciplinada la notificación de cada despido...

Al parecer existió mucha incoherencia, en lo que se decía, lo que se hacía y lo que realmente estaba pasando en frente del presidente del momento y que de alguna forma él no alcanzaba a entenderlo o por el contrario lo entendía muy bien y los que nunca nos dimos de cuenta de lo que realmente estaba sucediendo fuimos otros...

Decir...

Que los nuevos dirigentes que han llegado a las diferentes Juntas Directivas tanto de las subdirectivas como de la Junta Directiva Nacional de la USO, les ha tocado un trabajo un poco más complicado, mediante convenciones colectivas parcializadas con cada empresa que maneja individualmente cada una de las funciones que antes del laudo eran realizadas de forma directa por Ecopetrol y que hoy son manejadas por empresas contratistas que le niegan a sus trabajadores hasta la hora para poder almorzar, esta y muchas más violaciones son el pan de cada día y temas de discusiones en las nuevas convenciones con cada empresa contratista, por no decir que se convirtió este proceso que dejo en Laudo Arbitral del 2003 en un gran desgaste para toda la organización sindical y sus trabajadores afiliados.

Hay algo muy relevante y de gran efecto al interior del sindicato que dejo dicho proceso huelguístico del 2004, el cual debilito al sindicato y que no se ve de forma palpable, que es la moral, la convicción, la firmeza, la beligerancia que tenía su base de los trabajadores directos y trabajadoras directas, en todas las área de la empresa que poco a poco se fue diezmando y que si se analiza bien a fondo este si fue un duro golpe a estos valores difíciles de levantar hoy en día en muchos de los trabajadores, muy a pesar que la tarea se viene realizando y en muchas partes ha mejorado y muchos trabajadores han empezado a retomar desde los trabajadores afiliados que laboran para las firmas o empresas contratista, que hoy en día se vienen convirtiendo en la fuerza más grande y de mayor respaldo para la organización sindical y que de alguna manera vienen enrutando nuevamente al sindicato en el rumbo de la beligerancia, pero este proceso aún tiene mucho por recorrer.

Por otro lado, este debilitamiento de la organización sindical conllevo a que se dedicarán las nuevas generaciones de dirigentes sindicales a reacomodar los procesos con los trabajadores de las firmas contratista afiliándolos y gestionando luchas mediante convenciones colectivas, al igual que el proceso en búsqueda del reintegro de los trabajadores despedidos.

"Los chiquilines"

Como algunos otros llamaban a los nuevos dirigentes sindicales, que llegaron a ayudar y sacar adelante la difícil situación en la que había quedado toda la organización sindical, sus trabajadores y sus despedidos.

Después de todo ese duro conflicto y los desaciertos de muchas decisiones que no se tomaron a tiempo, otras que se tomaron de forma deliberada y otras que nunca se tomaron.

Las personas que acompañaron dicha huelga y fueron despedidas en el proceso de la huelga, 87 de ellos fueron pensionados mediante el acta de acuerdo de levantamiento del cese, es importante recordar que varios de los líderes sindicales de la Junta Directiva de la USO, nos decían a los despedidos que no se iban a acoger a su pensión hasta que no fuese reintegrado el ultimo despedido de esta huelga, no lo hicieron, ya que apenas salió el acuerdo de levantamiento del cese, donde se acordaron las pensiones plenas y proporcionales de los trabajadores despedidos que cumplían con dichos requisitos plenos de plan 70 completos y otros trabajadores despedidos que sus edades coincidían con los requisitos de las pensiones proporcionales acordadas allí también, dichos dirigentes de la Junta Directiva Nacional de la USO, que decían iban a esperar el reintegro de todos los despedidos se pensionaron de inmediato. Solo dos trabajadores despedidos no lo hicieron como lo fue el señor Manuel Pianeta trabajador del distrito de casabe y Wilson Ferrer quien fuese el Presidente de la subdirectiva Bucaramanga y estuviesen también en la larga lista de despedidos teniendo ambos los requisitos para poder acogerse a su pensión de jubilación plena, no accedieron a sus pensiones de jubilación teniendo los requisitos para hacerlo, nos acompañaron y ayudaron en todos los procesos que se gestaron por parte de todos los despedidos en búsqueda del reintegro de todos, de forma decida. Qué gran ejemplo de integridad Compañero Manuel Pianeta Y Wilson Ferrer...

Aunque es comprensible el actuar de ellos los que se pensionaron, ya que de no acogerse a la pensión de jubilación ellos y sus familias no tendrían ningún tipo de beneficios que traía ser pensionado de Ecopetrol como lo era estar cobijado por todo el servicio de salud que Ecopetrol de forma directa le brinda a los pensionados, trabajadores y sus familiares, como también los planes educacionales para sus hijos, además de la mesada pensional, que ya tendrían ganada por cumplir dichos requisitos de pensión, en eso estamos muy de acuerdo que lo hicieran, lo que no entendemos es para que se colocaban a prometer algo que desde ya ellos sabían que no iban a cumplir.

Es importante resaltar que todo esto que nos dejó el Laudo arbitral del 2003, se ha ido mejorando en convenciones colectivas por cada empresa o sector de trabajadores, siendo esto una tarea bastante dispendiosa y de mucho trabajo para la actual dirigencia sindical.

Fue tan contundente el golpe que la empresa le dio al sindicato tanto a los trabajadores afiliados como a los no afiliados, que el miedo de ser despedidos por cualquier situación llevo a que los trabajadores se organizarán y crearán más de 30 sindicatos al interior de la empresa para

**Este mural se convirtió en un símbolo durante
y después de la huelga del 2004.**

buscar un fuero sindical que los protegiera de la posibilidad de ser despedidos por cualquier situación, en especial la de los viernes negros, donde de forma esporádica y en especial para dicho día "los viernes" y como a la zar se hacían despido de trabajadores sin causa alguna y al ya no existir la estabilidad era mucho más fácil realizar dichos despidos, dejando en la calle incluso a trabajadores de la nómina directiva, nadie se salvaba del "viernes negro"...

Todos estos sucesos que dejaron dichos procesos de Laudo del 2003, decreto 1760, la huelga del 2004 y otros más han conllevado a que el sindicato se fuese dividiendo donde aún hoy en día no han podido superar las diferencias personales, sectoriales y se ha entrado en una lucha interna por tener el control de las mayorías en las diferentes juntas al interior de la organización, en especial en la Junta Directiva Nacional, lo cual ha llevado a no conseguir el consenso para poder dar una pelea unificada para salvar áreas tan importantes como lo fueron los oleoductos que hoy ya hace parte de una filial llamada CENIT en donde no se pudo llegar a un acuerdo integral para dar esta pelea que no se dio y que hoy muchos se lamentan no haberla dado.

Entre otras áreas donde la administración de Ecopetrol viene avanzando de forma acelerada como son los campos de producción y al interior de las refinerías con las áreas de mantenimiento y el área de materiales que ya casi en su totalidad son manejadas por empresas contratistas o filiales a nivel nacional, es decir privatizadas y desmejoradas las condiciones a los trabajadores que hoy ejecutan dichas labores.

Es decir, el proceso continua pedazo por pedazo...

Podríamos decir que hacia esto le apuntaba la empresa al hacer de forma bien pensada sus movimientos, iniciando con el LAUDO ARBITRAL del 2003, luego el DECRETO 1760 y ya para rematar con la huelga del 2004, donde se le dio una gran oportunidad para que Ecopetrol acabara con la motivación y fuerza para defender lo que se tenía que defender pero en el momento que se estaba dando y no mucho después cuando se hizo y no tuvo el acompañamiento esperado, al parecer todo fue muy mal calculado y ejecutado al cambiarle al final la caracterización de dicho movimiento.

En muchas ocasiones fuimos tratados los despedidos de la huelga del año 2004 como el ***LASTRE*** de la organización sindical cuando ya no éramos trabajadores directos y activos obviamente por acatar las directrices de la organización sindical y lamentablemente nos habíamos convertido en un problema para ellos.

Difícil de entender por qué nos tratarán así, ***cuando en un principio nos proclamaban como "los héroes" de dicha huelga...***

Además, algunos trabajadores "compañeros de trabajo" cuando veían que un despedido caminaba por la misma acera, se hacían de la acera contraria para no toparse con él, y de alguna forma evitar que éste (el despedido) le pidiese algún tipo de ayuda, es decir éramos estigmatizados por nuestros propios compañeros de trabajo.

Pero gracias a DIOS, y a muchos factores se dio el reintegro que aún no hemos capitalizado para volver a motivar a los trabajadores a pelear por sus derechos y beneficios.

La organización sindical debió de aprovechar este gran logro del reintegro de todos los despedidos de la huelga para devolverle de alguna forma la moral y el deseo de luchar para defender sus derechos a todas y todos los trabajadores a nivel nacional, aun no se ha hecho este gran reconocimiento a la lucha y unidad forjada con este gran acuerdo de reintegros de todos los despedidos de la huelga del 2004.

Muchos no volvieron a levantar su voz para exigir respeto y mejoras laborales, a la vez la administración de Ecopetrol, se adelantó y gestiono cámaras por todos lados, hasta en los baños por no decir más, y empezaron a aplicar al mismo tiempo procesos disciplinarios de ley 734 buscando sanciones ejemplarizantes y también procesos de despidos por la vía convencional que acabo de aumentar el miedo y amedrentamiento que hasta hoy son el talón de Aquiles para los procesos de discusión y confrontación mediante acciones de hecho buscando mejorar beneficios a los trabajadores, ya que todas ellas son castigadas con dichos procesos que generan miedo y dispersión de los procesos de unidad y lucha por el restablecimiento de los derechos perdidos en dicho Laudo Arbitral, entre otros.

Desde el día que inicio la huelga hasta el último día de ella, la empresa fue muy diligente en cada día, al hacer despidos de trabajadores, lo cual era algo atemorizante, se convertía en un calvario la llegada a cada sede del sindicato y enterarse que el nombre de cualquiera de los trabajadores que acompañaban el movimiento estaba en el listado de las cartas de despido que habían llegado.

Es decir que la empresa muy al parecer si tenía un plan bien elaborado para poder por un lado sostener la producción con el muy bien estructurado y entrenado **Plan de Emergencias**, porque incluso fue cuando más se produjo según registraron todos los periódicos a nivel nacional para el mes de mayo de 2004 y por el otro, con el miedo de los despidos a los que aún no habían sido despedidos ya que se anunciaban más de 500 despidos de más, lo cual desespero a los obreros que fuesen ellos mismos los que influyeran en sus dirigentes para que buscasen una salida decorosa a tan lamentable situación.

Y ya para terminar este capítulo...

Es importante sacar como conclusión y no solo para este proceso, sino para todas las etapas de la vida de cada quien.

Antes de iniciar cualquier proceso, proyecto, sueño, meta, e incluso para el caso en mención un conflicto huelguístico.

Siempre debemos tener una estrategia previamente desarrollada, donde se tenga en cuanta cualquier situación que se pudiese presentar.

No esperar que las cosas se vayan presentando y empezar a pagar incendios lo cual se vuelve incontrolable, es muy posible que otros a nuestro alrededor si hayan realizado bien la tarea y tengan posibles soluciones para cada etapa del proceso y con ello, nos tomen mucha ventaja y nos toque cerrar procesos inconclusos para no terminar peor.

¡ ...Solo para decir que salimos a una huelga...!

O, ¡...Parar dejar una constancia histórica...!

No vale la pena perder más de lo debido.

Y así como en el trading, lo más importante es tener el control de lo que estás dispuesto a perder.

Con el ánimo de que al final de todo el proceso tu balance sea muy positivo y no un balance muy negativo.

Y para el caso, llegar a perder valores tan importantes, como la confianza, la disciplina, la beligerancia y muchos más que son difíciles de reconstruir.

Para lo cual es de gran relevancia hacer las cosas bien hechas y teniendo en cuenta siempre cualquier situación que se presentase y antes de tomar dicha decisión o no (no tomar una decisión también es tomar la decisión), haber realizado todo un plan estratégico de todas las posibles consecuencia de cualquier decisión incluso las que al final no se toman, con la firme intención de tener las posibles soluciones a cada una de esas consecuencias, sea cual sea, eso ayuda a la motivación y confianza del equipo a jugársela el todo por el todo.

No es hacer las cosas por hacerlas y ya, se debe tener y conocer desde el entendimiento de nuestra mente que existen siempre dos posibilidades, la de ganar y la de también perder. Pero realmente el que gana no es él que aparentemente siempre gana, sino el que aprender a controlar sus riesgos y emociones y sabe hasta dónde está dispuesto a perder de darse ese escenario y lo cumple a cabalidad, ya que en todo escenario de la vida es muy posible perder y solo gana el que controla y limita dicha perdida. Como también cuando gana, sabe ir hasta sus límites sin llenarse de emociones para tomar así su ganancia y no permitir que dichas emociones le transformen una posible ganancia en una real perdida.

Este es un claro ejemplo, de cómo al no planear y conocer muy bien los posibles efectos de cada decisión pueden conllevarnos a repetir de forma coordinado los mismos errores una y otra vez de forma muy disciplinada e incluso tratando de tapar el sol con un dedo, las cosas son lo que son, si no se reconocen como tal, nunca saldremos adelante.

Lo más difícil del ser humano es reconocer sus propios errores por eso, es que son muy pocas las personas que logran ser realmente exitosas en el mundo, obviamente que no solo es exitoso el que gana mucho dinero, sino aquel que entiende el sentido de su vida y se enfoca en ello para lograr así su real y total felicidad.

Levantamiento de la huelga

Quiero empezar describiendo algunas apreciaciones del acta de acuerdo del 26 de mayo del 2004, donde se buscaba una salida para suspender los 500 despidos que muy posiblemente se iban a ejecutar de no darse el acuerdo para el levantamiento de dicho proceso huelguístico.

En dicha acta se Acuerda el punto 2.2.1.

"*Pensión plena de Jubilación La empresa reconocerá este derecho a aquellos que al momento de la desvinculación laboral acrediten los requisitos para acceder a la pensión plena de jubilación de que trata el artículo 109 del Régimen Convencional.*

Pensión Proporcional de jubilación. Se reconocerá a aquellos que no se ajusten a lo señalado en el numeral anterior y que para el momento de su desvinculación laboral hayan reunido 58 o más puntos respecto a la modalidad pensional denominada plan 70 (Artículo 109 de la CCT) en la cual cada año de servicio equivale a un punto y cada año de dad equivale a otro punto.

Consecuente con lo señalado se reconocerá y pagará mensualmente una pensión especial de jubilación de carácter vitalicio, equivalente al 75% del salario promedio mensual devengado en los últimos doce (12) meses de labores registrados en Ecopetrol S.A., y teniendo en cuenta que la base para liquidar esta proporción será el 75% establecido para el personal que cumple con los requisitos exigidos para el plan 70". (tomado textualmente del acta de acuerdo de levantamiento del cese con fecha 26 de mayo del año 2004).

Es importante volver a mencionar que algunos de los dirigentes de la Junta Directiva Nacional de la USO, contaban con los requisitos para acceder a una pensión plena de jubilación. Y que los 58 puntos que lograron acordar dentro de esta acta para los despedidos que tuviesen dichos puntos pudieran pensionarse con pensiones proporcionales coinciden con la edad del único trabajador miembro de la Junta Directiva Nacional del sindicato que fue despedido y que la sumatoria de su edad y años de servicio no le daban para una pensión plena, era necesario crear una figura de pensión proporcional para que no quedase por fuera de esta solución real al despido de plano del compañero de la Junta Directiva Nacional del sindicato, bastante satisfactoria para los que fuesen acogidos con ella, los demás despedidos teníamos una alternativa no muy real y al parecer a futuro muy condicionada donde muy al parecer su intención era volver a realizar los despidos y justificar que habían sido bien ejecutados, más adelante revisaremos a fondo dicho tema del Tribunal de Arbitramento Ad – Hoc.

Como decían muchos trabajadores que se enteraron de esto…"Algunos dirigentes de la Junta Directiva Nacional del sindicato se lanzaron del avión haciendo alusión a la huelga, con doble paracaídas incluido, es decir por un lado tenían ya cumplido todos los requisitos para acceder a su pensión plena de jubilación y por otro lado, ellos mismos eran los que colocaban las reglas de juego para cualquier tipo de acuerdo para levantar dicho cese de actividades, mientras el resto de trabajadores nos lanzamos del avión sin ningún tipo de paracaídas y nos esperaba el suelo con colchón de alambre púas para darnos contra el suelo", es decir que ellos tenían un doble seguro si eran despedidos ya que varios de ellos ya tenían los requisitos de pensión plena, lo cual era un derecho adquirido que no les podían negar y en el peor de los casos al ser despedidos quedaban pensionados con pensión plena e incluso con pensión proporcional.

¡Así cualquiera se lanza a la huelga...!

Para la población restante de despedidos es decir los que no tenían requisitos plenos para acceder a una pensión plena de jubilación o en el peor de los casos alcanzar entre edad y tiempo de servicio los 58 puntos, que coincidían con la sumatoria entre edad y tiempo laborado del dirigente de la Junta Nacional despedido y por ende no cumplía con los requisitos para una pensión plena, fue necesario buscar una alternativa de pensión proporcional para que no quedase despedido, como tal, que fue el mínimo requisito los 58 puntos entre edad y tiempo de servicio a la empresa, para acceder a una pensión proporcional, según el acuerdo aquí presentado como solución de levantamiento del movimiento huelguístico, gracias a ello 68 trabajadores despedidos lograron esta pensión proporcional y 19 trabajadores despedidos lograron su pensión plena por cumplir con los 70 puntos o más puntos entre edad y tiempo de servicio a la empresa. Como tal pudiéramos decir que estas 68 pensiones proporcionales era el único real y verdadero logro de la huelga del año 2004, ya que las 19 pensiones plenas era un derecho adquirido que si o si dichos trabajadores tenían derecho.

Quiero aclarar que este tema de las pensiones es solo a manera de información ya que si bien ellos tenían una pensión ganada y pudieron construir unas pensiones proporcionales dentro del acuerdo de levantamiento del cese, lo cual es de gran satisfacción ya que hacen parte de un logro inicial del proceso, lo que de pronto no es muy coherente es que hubiesen presionado desde esa condición de ya prácticamente estar pensionados, al resto de trabajadores e incluso decirles por medio de un comunicado y diversos discursos que tenían que sacrificarse como lo decían en su momento que "en toda guerra o huelga habían sacrificados", sabiendo ellos que ya tenían su pensión, lo cual revisando el contexto de dicho tema que pasará lo que pasará ya ellos tenían su pensión asegurada, no les quedaba nada bien decir e influenciar desde esa posición y perspectiva para que el resto fuesen sacrificados. Por qué y para que, además si se hubiesen hecho las cosas de la mejor manera posible desde antes de la huelga es posible que nada de todo esto hubiese pasado, donde se hubiese realizado la huelga en uno de esos dos anteriores sucesos, cuando existían todos los argumentos para hacerla o en los dos si fuese necesario, pero hacerla desde el poder de las decisiones bien tomadas teniendo en cuenta todos los aspectos para tomarla la decisión que mejor y más le convenía a todos los trabajadores y en el mejor momento, como por ejemplo "Haber retirado el pliego de peticiones al ver que no existía una posibilidad de cerrar con un acuerdo como si lo hizo en su momento sintracarbon", lo cual hubiese impedido la constitución del

Tribunal de Arbitramento Obligatorio y por ende el Laudo Arbitral que todos conocemos...

Además, se acordó un mecanismo menos garantista para la población restante de despedidos, en búsqueda de una posible solución como lo fue el Tribunal de Arbitramento Voluntario Ad – hoc.

Según el numeral 2.2.2. Tribunal de Arbitramento Voluntario Ad–hoc.

"Ante el desacuerdo planteado por los representantes de la Unión Sindical Obrera de la industria del petróleo – USO respecto de la decisión de la empresa de dar por terminados unilateralmente y por justa causa 248 contratos individuales de trabajo notificados por la empresa, con ocasión de la suspensión colectiva de trabajo declarada ilegal por el Ministerio de Protección Social, mediante resolución N° 001116 del 22 de abril del 2004, desacuerdo que no comparte ECOPETROL S.A., por estimar que el mismo carece de fundamentos de hecho y de derecho, las partes con el ánimo de propender por una solución oportuna a tal diferendo, acuerda constituir un Tribunal de Arbitramento Voluntario Ad-hoc que decidiría en derecho y según la normatividad vigente, incluyendo todos los aspectos sustanciales y procesales de la misma, las reclamaciones de los ex trabajadores cuya situación no se ubica en lo descrito del numeral 2.2.1. precedente y que se les terminó el contrato de trabajo por justa causa, con

ocasión de los hechos derivados de la suspensión colectiva de labores iniciada el 22 de abril de 2004 exclusivamente, es decir, este organismo arbitral no conocerá ni definirá asuntos diferentes a despidos originados por los hechos aquí enunciados." (tomado textualmente del acta de acuerdo de levantamiento del cese con fecha 26 de mayo del año 2004).

Y en su numeral 3. Reanudación de labores, cesación acciones administrativas de carácter laboral y préstamo a la USO.

En el punto 3.1. se define el tema de "Reanudación de Labores.

"Como resultado de los anteriores acuerdos, la USO cesará la suspensión colectiva del trabajo, para lo cual adoptará las medidas e impartirá las instrucciones para garantizar que la totalidad de los trabajadores estén disponibles para la reanudación de las labores, garantizándose así la normal operación y desarrollo de actividades comerciales, industriales y administrativas en ECOPETROL S.A., a partir del viernes 28 de mayo de 2004, a las 6 am., de acuerdo con la programación que para este efecto establezca la empresa." (tomado textualmente del acta de acuerdo de levantamiento del cese con fecha 26 de mayo del año 2004).

Con estos dos puntos lo que podemos evidenciar es que desde ya Ecopetrol estaba diciendo que no era justo darles esa oportunidad de revisar los casos de los trabajadores despedidos ya que según ellos estaban bien realizados los procedimientos de despido, que dicha reclamación carecía de fundamentos de hecho y de derecho y que con el ánimo de propender acuerdan crear dicho Tribunal para que defina la situación de los ex trabajadores, pero desde ya mencionaba que se iban a buscar según ellos en derecho la negación de dichos reintegros, es decir que la cosa desde el mismo día del acuerdo se veía muy oscura para nosotros los despedidos. Además, el mismo presidente de la empresa, públicamente menciono que todos los trabajadores despedidos se les iba a ratificar su despido en dicho escenario del Tribunal de Arbitramento Ad – Hoc, ya que, según él, los despidos estaban ajustados a las normas preestablecidas. Si bien no sucedió tal y como lo estaba mencionando el Presidente de la empresa, si fue algo muy parecido, ya que el tribunal dispuso a los trabajadores que reintegro, les aplicasen procesos de ley 734 donde la gran mayoría volvió nuevamente a quedar en el punto inicial, despedidos...

Era al parecer una puerta giratoria, donde posiblemente algunos entraban, pero nuevamente quedarían despedidos, era lo único que teníamos el resto de despedidos, para aferrarnos a una posibilidad de recuperar lo ya perdido como lo eran nuestros trabajos con contratos a término indefinido.

Por otro lado se restablecerían las labores es decir que todos los trabajadores debían entrar a laborar de acuerdo a las programaciones de los diferentes turnos de trabajo que la administración le designase a cada trabajador y como nunca se debía hacer un viernes día en que casi nunca se convenía una reanudación de labores, pero como dicha batalla se había perdido, el ganador disponía y colocaba las reglas de juego que él quisiese y fue así, que debieron entrar a laborar todos los trabajadores un día casi inhabitual para hacerlo el último día de la semana un viernes, y así fue que se firmó y se dispuso por la empresa.

Por lo general y si hubiese sido al contrario que la batalla la hubiese ganado el sindicato muy posiblemente la reanudación de labores hubiese sido el lunes.

En el punto 3.2 Cesación de acciones administrativas de carácter laboral.

"Con el ánimo de solucionar en forma definitiva las situaciones que generaron la anormalidad laboral al interior de Ecopetrol S.A., las partes acuerdan que a partir de la fecha la empresa cesará las citaciones a descargos originados por lo hecho del 22 de abril de 2004 y las terminaciones de contrato de trabajo por justa causa.

De igual manera la empresa se compromete a dejar sin efecto las acciones administrativas de carácter laboral que se hubieren iniciado y que a la fecha de la firma de esta acta de se hubieran notificado." (tomado textualmente del acta de acuerdo de levantamiento del cese con fecha 26 de mayo del año 2004).

Con esto queda también muy claro que muy al parecer la estrategia de continuar despidiendo y anunciar que venían más de 500 despidos de más, agudizo y acelero la búsqueda de un acuerdo urgente para evitar que muchos otros trabajadores y muy posiblemente dirigentes sindicales no fuesen despedidos motivo por el cual hizo agudizar el conflicto y doblegar a su dirigencia para conseguir este acuerdo, que sería una rendición para lograr un acuerdo de buen trato para los soldados que aun continuasen en el conflicto y ser salvados de un posible despidos a muchos más de ellos.., que considero fue la decisión más acertada de todo este proceso ya que si se hubiese permitido que se extendiera la lista de despedíos por encima de 800 trabajadores directos despedidos, esto hubiese sido algo que muy difícilmente se hubiese podido solucionar a futuro, muy por el contrario dejaría al sindicato mucho más afectado, donde es posible que todo lo que hasta hoy ha avanzado no lo hubiese podido hacer debido al mar de dificultades que esta gran cantidad de despedidos generaría a la dinámica del sindicato, como también fuese muy difícil organizar y ayudar de alguna forma a un numero de despedidos tan considerable, creo desde una mente reposada y bien argumentada fue la mejor decisión que se pudo haber tomado en todo este proceso.

Muy a pesar que según información de los mismos trabajadores que estuvieron laborando durante todo el cese, ya no aguantaban más y que estaban en esos últimos días decidiendo salir y dejar las áreas paralizadas, lo cual hubiese podido darle un giro de 180 grados a lo que hasta ese último momento llevaba en pulso de quien ganaba o quien perdía este conflicto huelguístico.

Lo cual nadie a ciencia cierta hubiese podido conocer como una posible realidad a no ser de tener una bola de cristal como al parecer otros si la tenían, lo cual hubiese sido un gran riesgo para toda la organización sindical si se hubiese esperado lo que hasta el momento no se había dado y la llegada de dichos 500 despidos de más, hubiese sido algo muy difícil de controlar, en la mente de los pocos que quedasen apoyando dicho cese, si es que quedase aún trabajadores apoyándolo..., además de la lamentable situación en la que hubiese quedado el sindicato.

Pero por algo DIOS dispuso que fuese así tal y como se dio, si hubiese sido diferente es posible que este libro y muchas cosas más no hubiesen sucedido para mí y para todos los que de alguna forma aprendimos mucho con esta gran experiencia de la vida, que vale más que cualquier Maestría o Posgrado Universitario de cualquier universidad de alto nivel, este era un aprendizaje de la mejor universidad, la universidad de la vida misma.

Procesos de los Despedidos

F ue así como empezó un proceso muy difícil en donde empezaron a florecer muchos valores internos que todos tenemos, pero que solo en los momentos más difíciles van saliendo uno a uno.

Los cuales se iban desarrollando por la misma necesidad de buscar una solución y poderlos explotar como son: la persistencia, el trabajo en equipo, la insistencia, la fe, la resiliencia, creer en imposibles, entre otros.

Inicialmente lo más difícil fue convencernos de que realmente y muy posiblemente existía alguna posibilidad de ser reintegrados a nuestros trabajos y que se podían hacer muchas cosas para buscar una solución para lograr dicho objetivo, lo cual no era nada fácil ya que empezaron a crecer situaciones que el despido por si solo va generando como son el mantenimiento y pago de los servicios de las necesidades básicas y prioritarias de cada uno de los ex trabajadores afectados que cada día iban creciendo más y más.

Entre ellas las deudas de los préstamos de las viviendas y otras deudas de consumo, los recibos de los servicios públicos agua, energía eléctrica, la manutención de toda familia, el colegio de los hijos, el gota a gota, entre otras muchas más, que llevaban a la desesperación de cada uno de los trabajadores despedidos y al abandono del barco en búsqueda de solucionar sus problemáticas personales de alguna forma, que podría ser por lo menos consiguiendo otro empleo de forma temporal o cualquier auto empleo que pudiese representar una ayuda para el sostenimiento familiar y demás.

Todo esto hacia que muchos de los despedidos dejaran a un lado la meta inicialmente planteada de volver a sus antiguos trabajos mediante el reintegro de nuestros trabajos.

¡Vaya tarea, esta del reintegro...!

Fue así como empezamos a reunirnos algunos que aún no queríamos abandonar el barco del sueño de recuperar nuestros empleos, nos reuníamos en la sede del sindicato para buscar fórmulas de visibilizar nuestra problemática, no pasábamos de 10 o 15 ex – trabajadores en las primeras reuniones. Inicialmente nos fuimos tomando de hecho una de las oficinas de la USO en la sede de la Junta Nacional en la ciudad de Barrancabermeja. Hasta lograr que nos dejaran dicho espacio para ser nuestro punto de encuentro de los despedidos.

Lo primero que florecieron en dichas reuniones por parte de cada compañero despedido fueron los arrepentimientos y criticas de todo el proceso en general, se hablaba de todo lo que se había perdido, el estudio de nuestros hijos, el cual era de muy buena calidad, la salud, el cual teníamos unos servicios de salud muy buenos que ojala todo mundo algún pueda tener, con atención inmediata, entrega de costosos medicamentos de muy buena calidad, atención en cualquier centro especializado del país, los préstamos de vivienda y muchas cosas más que teníamos por ser trabajadores de dicha empresa y tener una Convención Colectiva donde aún existen dichos derechos y beneficios.

Después de varios días ya la cosa empezó a cambiar, empezamos a ser conscientes que, si nos quedábamos en solo arrepentimientos y lloradera de lo que fue, no íbamos a conseguir el objetivo trazado, así que para las siguientes reuniones empezaron a florecer las primeras ideas de organización y del que hacer.

Lo primero que hicimos fue buscar algunas ayudas de subsistencia y fue así que logramos junto con algunos dirigentes sindicales, en la asamblea de delegados de la USO, se aprobara un descuento mensual a los demás trabajadores afiliados que no fueron despedidos y que se encontraban trabajando para que pudiésemos recibir un auxilio para nuestra subsistencia, dicho descuentos tenía un trámite que muchas veces era muy demorado, lo cual generaba algunas confrontaciones entre despedidos y dirigente, para lo cual fue necesario que en un principio el sindicato en cabeza de algunos dirigentes como Juan Ramón Ríos, Héctor Vaca, Jorge Gamboa y Cesar Loza, tuviesen que hipotecar sus nombres y sus bienes como prenda de garantía de los prestamos anticipados para garantizar los pagos mensuales para todos los despedido, los cuales eran amortizados con los descuentos de los trabajadores y otros recursos del sindicato en la cooperativa Coopetrol a nivel nacional.

El cual cada fin de mes e inicio del siguiente mes se llenaba de trabajadores despedidos en especial la oficina de Coopetrol de la ciudad Barrancabermeja, esperando la consignación de dicho auxilio, en el cual se vivieron algunas veces conflictos con algunos trabajadores que eran asociados activos de la cooperativa pero que no habían apoyado la huelga y como era apenas obvio la discusiones y abucheos con las palabras de patevacas y esquiroles, lo cual generaba ciertas confrontaciones personales.

Dicho auxilio a cada despedido era por valor de $ 800.000 pesos colombianos, entregado por intermedio de la cooperativa Coopetrol quien hacia el desembolso a cada uno de los despedidos, el cual era una ayuda que recibíamos de forma mensual, luego de este proceso, nació la idea de interponer una queja ante la OIT por violaciones al derecho a la huelga entre otros, pero para poder realizar dicha queja era necesario realizar unos gastos de un viaje a Ginebra (Suiza) de las personas que iban a realizar dicha gestión y fue así que nació la propuesta de parte del Presidente de la Junta Directiva Nacional de la USO de dicho momento, de rebajarnos la ayuda que nos daban del descuento mensual de los trabajadores activos para nosotros los despedidos y de allí sacar los recursos necesarios para poder interponer dicha queja ante la OIT, fue así que la propuesta era que de los $ 800,000 pesos colombianos de auxilio que recibíamos mensualmente debía ser bajada a $ 500.000 pesos colombianos mensuales, para recoger con esos $ 300.000 pesos colombianos mensuales por cada despedido los dineros para tal fin, la cual fue aprobada, ya que no nos quedaba nada más que hacer, sabíamos muy bien que sin ese dinero no era posible presentar dicha queja ante la OIT y nosotros éramos conscientes que esa primera acción de sacrificio era más que necesaria y realmente sí que lo fue, al parecer los primeros sacrificios en cualquier proceso son los más duros, pero la final también los más gratificantes.

En dicho momento pudo haber sido un golpe duro para todos nosotros, dicha reducción de nuestro auxilio, pero con el tiempo fuimos entendiendo que era necesario hacer dicho sacrifico para poder generar piezas dentro del engranaje del proceso muy necesarios e indispensables en la búsqueda de recuperar lo perdido.

Fue así como pasamos de recibir un auxilio de $ 800.000 pesos colombianos a recibir un auxilio de $ 500.000 pesos colombianos mensuales, este proceso de instaurar dicha queja duro alrededor de tres meses, muchos pensamos que ese proceso era muy rápido, lamentablemente el sistema o nuestro entorno nos viene envolviendo en un mundo donde creemos y queremos que todo sea muy rápido o de forma inmediata pero la realidad no es como uno muchas veces se cree o piensa y en general todos los procesos son paso a paso inclusive en estos casos también, acá apareció otro gran valor como es la "**PACIENCIA**", del cual considero que es uno de los más importantes valores el cual nos enseña a no cometer errores y hoy puedo decir que es sin lugar a duda en cualquier escenario de la vida el hábito que nos ayuda a entender que es necesario tener calma y control de las emociones para tener una mente reposada consciente para poder comprender y analizar todo lo que puede pasar en cada decisión y acción que vayamos a ejecutar o no, lo cual nos ayuda muchísimo para evitar que dichos errores aparezcan y si aparecen saber por qué y el que hacer o adelantarnos y tener controles para evitar que su efecto sea mayor al cual estamos dispuestos a soportar, con ello es más fácil mantener una mentalidad positiva y motivada en la búsqueda permanente de nuestras metas, muchos de nuestros errores se dan por que realizamos las cosas muchas veces de forma rápida sin pensar en sus posibles consecuencias, es por eso que debemos de acoger y practicar este implacable hábito de tener paciencia para pensar muy bien nuestras decisiones y acciones.

Obviamente no es nada fácil en un mundo donde ya todo se hace en un clic, y queremos todo de inmediato.

Por no entender y comprender este valor de la paciencia muchos decidieron emprender otros caminos y buscar algún tipo de trabajo o autoempleo y olvidarse de esta loable meta que estaba apenas comenzando.

Fue así que después de la tramitación respectiva, el sindicato logra interponer la queja ante la OIT mediante la ayuda de la CUT (Central Unitaria de Trabajadores de Colombia), quien representaba a la USO en el escenario de la OIT en Ginebra Suiza.

En conclusión de esta primera acción podemos decir, que para poder lograr instaurar esta queja ante la OIT, fue necesario hacer nuestro primer sacrificio que fue bajarnos de recibir nuestro auxilio mensual aportado por los trabajadores aprobado por la asamblea de delegados, de

800 mil pesos colombianos bajarlo a 500 mil pesos colombiano, fue algo duro de asimilar a pesar de las grandes necesidades y compromisos, pero era algo que sí o sí, nos tocaba hacer si realmente queríamos que el proceso en búsqueda de recuperar lo perdido avanzará.

Acá quiero referirme a estos sacrificios que debemos hacer en especial cuando se hace necesario aportar dinero, que para todo y para todos siempre es necesario disponer y utilizar, y que muchas veces por no desprendernos de él, porque creemos que no va a volver, y por ello podemos perder nuestra lucha por superarnos y lograr nuestras metas, debemos entender que amarrar el dinero en ciertos momentos no es una buena idea, ya que el dinero circula va y viene y si no entiendes este proceso es difícil que tus resultados sean los deseados, una cosa es ahorrar para invertirlo, otra muy diferente es retenerlo para que no circule y muy probablemente malgastarlo.

El motivo de dicha decisión fue que el sindicato había quedado sin recursos económicos, producto de todos los gastos que conllevo dicho proceso huelguístico y si nosotros queríamos que se pudiera presentar e instaurar dicha queja ante la OIT, debíamos poner de lo poco que nos llegaba para poder hacer realidad dar este primer paso que a futuro sería de gran relevancia. Es muy posible que si esta primera acción en el momento más difícil de todos los despedidos ya sin ningún ingreso, no se hubiera efectuado, el resultado que estábamos esperando nunca se hubiera dado. Por esto es lo referente a los sacrificios e inversiones que debemos hacer para salir adelante, en especial cuando no hay lo que más se necesita, flujo de dinero. Lo cual lo convierte en realmente un sacrificio, que con el tiempo fue más que necesario.

Por lo cual se tuvo que aceptar la propuesta de la disminución del aporte mensual, según el sindicato había quedado sin fondos por todos los gastos de mantener la huelga por más de 36 días, al parecer por la poca organización en muchos aspectos en el proceso de la huelga, lo cual nos enseña que para cualquier decisión en la vida debemos de prepararnos con anterioridad para afrontar cualquiera de los dos posibles escenarios uno que tengamos éxito y el otro que no tengamos éxitos y para ambos debemos tener un plan, por un lado para seguir manteniendo los buenos resultados y por el otro lado un plan para evitar que una derrota nos arrastre hasta los más profundo de donde no podamos salir, si tomamos los fracasos como un aprendizaje más, de cómo hacer mejor cada cosa en donde no tengamos los resultados esperados es muy seguro que al final del camino los resultados van a ser los esperados, debido a que hemos decidido estudiar y aprender de nuestros propios errores.

Pero para el caso en cuestión del proceso de la huelga nunca nadie quiso evaluar los posibles aciertos y desaciertos, ni tampoco los otros dos temas de gran relevancia como lo fue el laudo arbitral del 2003 y el decreto 1760, que considero hubiese sido muy importante haber analizado dichos sucesos desde una premisa de no encontrar responsables de lo que se tenía o no que hacer, y más bien buscar los posibles errores y falencias para que no se volviesen a repetir, que desde mi punto de vista es muy posible que se vuelvan a dar, ya que como dicen por ahí. "El que no conoce su historia está condenado a repetirla".

La queja fue presentada el 18 de junio de 2004 ante la Organización Internacional del Trabajo en Ginebra - Suiza "OIT" la cual fue recibida por el señor BERNARD BERNIGON Jefe del servicio de Libertad Sindical del Departamento de Normas Internacionales del Trabajo de la OIT.

Es de gran relevancia resaltar todo el acompañamiento y asesoramiento de la Comisión Colombiana de Juristas, los cuales presentaron un informe muy completo llamado "Colombia una política de inseguridad laboral", donde hace mención a este proceso de la violación al derecho a la huelga y uno muy sonado y conocido por muchos trabajadores antes de iniciar todo este proceso en general como lo fue el "MOBIN" Programa de Mejoramiento de Comportamiento y Competencias, realizado en la Gerencia de la refinería de Barrancabermeja a 43 trabajadores durante el 4 de agosto de 2003 hasta el 17 de junio de

2004, en donde se detalla este y muchos otros casos tanto en Ecopetrol como en otras empresas a nivel nacional. Por lo cual es importante decir que, gracias a la ayuda y colaboración del Doctor Carlos Rodríguez, Gustavo Gallón y la Doctora Lina Jaramillo, se pudo llevar de la mejor forma esta denuncia de violaciones por parte del Gobierno Colombiano y Ecopetrol contra la USO en el caso 2355 en la OIT.

Según podemos evidenciar en el boletín oficial de la USO de fecha julio 16 de 2004 titulado ***"LA OIT ACEPTA ESTUDIAR EL CASO DE LA USO"***, en donde se informaba a todos los trabajadores y despedidos de dicho hecho muy relevante e importante, que ya se tenía conocimiento por parte de la OIT dicha queja y se le había dado un número al caso de la huelga entre la USO y ECOPETROL, en donde producto de dicho proceso habían quedado 253 trabajadores despedidos el número para hacerle seguimiento a este caso fue el 2355, y demás trámites pertinentes además de todo el Lobby político que este caso iba a necesitar para poder tener el resultado esperado.

Es decir que apenas comenzaba este proceso en trámite, debíamos esperar que para el año siguiente en la 93 Conferencia de la OIT que se realizaría del 31 de mayo al 16 de junio del 2005 los primeros avances, debido a que el caso era muy reciente y existían muchos otros casos que se habían denunciado con mucha más anterioridad y que aún no se habían revisado, por lo que no era fácil que **el caso 2355** fuese revisado por la comisión de normas internacionales rápidamente como nosotros queríamos, eso dependía del lobby que se debía hacer en dicha conferencia para que conociesen del caso con mayor profundidad y brevedad posible. Es decir que existía mucho trayecto por recorrer y nosotros pensando que solo era soplar y hacer botellas.

En dicha Conferencia 93 se presentó el Presidente de la Junta Directiva del sindicato USO de ese entonces Jorge Gamboa, quien estaba en compañía de los representantes de las demás centrales de trabajo de Colombia CUT (Central Unitaria de Trabajadores) y CTC (Central de Trabajadores de Colombia), al cual le darían un espacio muy reducido de tiempo para presentar el informe de las violaciones laborales presentadas en Colombia así como la situación en particular del caso 2355, para la cual deberían buscar alrededor de dicha conferencia, el Lobby correspondiente para que los representantes que allí se convocaban le solicitaran al comité de normas internacionales le diera celeridad al caso, situación que no era nada fácil debido a la gran cantidad de casos similares a nivel mundial que allí se exponían y que también solicitaban fuesen tenidos en cuenta de manera rápida.

Todo esto nos empezaba a dar algunas luces de que todo este proceso no iba a ser como muchos queríamos, que

168

fuese... rápido y que en menos de un año tuviésemos los primeros resultados.

Por lo cual fue necesario empezar a reunirnos de forma más permanente, inicialmente todas las semanas casi todos los días para esperar información de los avances en la OIT, situación que empezó a desesperarnos, sabíamos que dicho proceso en OIT era de vital importancia y trascendencia y según iban pasaban los días y semanas empezamos a ver que este proceso no se iba dar en la primera Conferencia de la OIT, así que empezamos a mirar hacia otro lado mientras este proceso comenzaba a andar un poco más rápido y fue así que nos empezamos a enfocar en el proceso del Tribunal de Arbitramento Ad – hoc, que había quedado del acuerdo de levantamiento del cese, entre el gobierno, la empresa y el sindicato, en el cual ya se había contratado a las personalidades del derecho que serían los Árbitros del Tribunal de Arbitramento AD - HOC: los cuales fueron: ANDRES FERNANDO DACOSTA HERRERA, quien fue nombrado como Presidente del Tribunal, WILLIAM JOSE CRUZ SUARES (Arbitro), JAIME MORENO GARCIA (Arbitro), ARMANDO NOVOA GARCIA (Arbitro), GERMAN GONZALO VALDEZ SANCHEZ (Arbitro) y JIMENA ISABEL GODOY FAJARDO (Secretaria del Tribunal de Arbitramento Voluntario Ad – hoc.)

Quienes conformaron el despacho de dicho Tribunal en la ciudad de Bogotá donde se revisaría caso por caso de cada uno de los trabajadores despedidos para poder viabilizar una posible solución de reintegro o no.

Este proceso era el más cercanos al cual todos nos debíamos aferrar en es espera de una muy buena solución, pero como era un proceso donde se tenía que ejercer alguna presión política o de masas, para que el resultado no fuese sesgado o a favor de la empresa.

Así que...

Decidimos enfocarnos y concentrarnos en el proceso del *"Tribunal de Arbitramento Voluntario Ad – Hoc"*.

Tribunal de Arbitramento Voluntario Ad – Hoc

C omenzamos reuniéndonos un poco más seguido para recoger las diferentes ideas del que hacer para que dicho evento del tribunal estuviese en el foco de muchas personas en todo el país, para con ello influenciar en que dicho fallo fuese lo más justo posible, en dichas reuniones todos opinábamos y dábamos ideas al respecto, no fue nada fácil ya que al comienzo éramos muy pocos los que llegábamos a dichas reuniones, pero poco a poco empezamos a sumar un total de más de 20 ex trabajadores es decir despedidos en dichas reuniones.

Fue así como empezamos a construir una buena acción para presionar a dicho Tribunal para que surtiera resultados muy favorables a todos los despedidos, y en búsqueda del que hacer, salió una muy buena idea, la de visibilizar la problemática por todo el país, la cual empezó a tomar forma de una gran marcha de todos los despedidos con nuestras familias desde la ciudad de Barrancabermeja pasando por cada pueblo o ciudad hasta llegar a la capital Bogotá, terminando con una rueda de prensa y un gran acto central político en la plazoleta "Manuel Gustavo Chacón" donde está ubicado el edifico central de Ecopetrol con la presencia de varias personalidades de la vida política del país en su momento, situación que demoro muchos días en concretarse hasta que por fin se forjo dicha idea y con una representación de despedidos se llevó al seno de la organización sindical es decir a la reunión de la Junta Directiva de la USO Nacional, para conseguir los recursos para tan importante propuesta, a la cual de forma inmediata y sin siquiera estudiarla y analizarla fue desecha y negada en su totalidad por dicha Junta, según ellos por los altos costo y la poca existencia de recursos al interior del sindicato, fue así como empezaron a salir los primeros tropiezos de esta nueva etapa del engranaje del proceso.

En todo este proceso fue necesario organizar un medio de comunicación propio de los trabajadores despedidos, para informarnos e informar a los trabajadores de la empresa todo lo que estaba pasando con nuestra situación y demás, gestionar los diferentes procesos, solicitar el apoyo de otras organizaciones, entre otras.

Fue así que nación **"*LA VOZ DEL REINTEGRO*"**, que se convertiría en el medio oficial de los despedidos de la huelga del 2004, utilizado durante todo el proceso como nuestro medio oficial de información y demás acciones necesarias hacia los demás despedidos y demás personas del común, e instituciones, sindicatos, gobierno entre otros, a nivel nacional e internacional, donde se informaba todo lo que se estaba viviendo del desarrollo de los diferentes procesos en búsqueda de nuestro reintegro.

Dentro de este proceso de comunicaciones, salieron un buen número de boletines e informes de nuestro medio informativo "La voz del reintegro", alrededor de unas treinta ediciones de boletines durante todo el proceso.

Luego de varias reuniones de nosotros como despedidos y analizar el que hacer para que dicha idea de la marcha, el acto político y la rueda de prensa fuese una realidad, ¿buscando el cómo?, el conque? Para poder conseguir todos los recursos necesarios y hacer que esta loable idea, dejará de ser un sueño y poderla convertir en una realidad.

Las reuniones fueron más frecuentes para entre todos buscarle la solución a este impase que se nos estaba presentando, éramos conscientes de la gran necesidad de realizar esta acción para buscar que el proceso del Tribunal de Arbitramento Voluntario AD – HOC no fuese sesgado y negativo para todos.

Como conclusión de muchas de las reuniones de nosotros como despedidos para resolver la situación, se decidió de forma unánime, en salir literalmente a la calle a buscar la solidaridad de la comunidad en general, para conseguir los recursos necesarios y poder garantizar la realización de la marcha y las demás acciones de dicha propuesta, lo cual dependía de nuestra gestión en conseguir todos los recursos. Realmente no teníamos de otra. Al parecer era una tarea bastante retadora.

Eso es lo concluyente de cuando estamos en el fondo y ya no podemos caer más, solo tenemos una sola opción, levantarnos y avanzar.

Nos organizamos por grupos de los cuales siempre estuvimos revisando y haciendo seguimiento del cumplimiento de las funciones de cada equipo para lograr los objetivos, un grupo se encargaba de buscar los suministros para la alimentación de todos los días que durara la marcha hasta Bogotá, otro grupo del trasporte, otro de la logística tanto de la marcha como de los actos políticos, rueda prensa entre otras actividades sociales y culturales. En verdad cuando se quiere hacer algo convencidos de que era necesario hacerlo, se hace, no hay más... Punto.

Es importante resaltar que dentro de todos los despedidos siempre existieron varios compañeros con gran liderazgo y en cada momento cada uno de estos hombres y mujeres realizaron y aportaron todo su esfuerzo y compromiso en las diferentes actividades...

Cada quien se agrupaba para ayudar en todo lo que podía, como lo fue las diferentes tareas que se realizaron para poder realizar la marcha, la cual empezó con la recolecta de la carne en el comisariato que era un sitio donde todos los trabajadores de Ecopetrol del área de Barrancabermeja semanalmente acudían para recibir de acuerdo a su núcleo familiar el suministros de carne y hueso el cual era un beneficio acordado en la Convención Colectiva de trabajo, este era entregado en bolsas una por cada miembro de su núcleo familiar, fue así como logramos conseguir una gran cantidad de este importante recurso donde se garantizaba una muy buena cantidad suficiente para todos los días que duraría dicha marcha donde se notó la gran solidaridad de todos los trabajadores quienes de forma voluntaria regalaban una o más bolsas de carne para hacer realidad este proyecto.

Otro grupo se encargaba de la logística del trasporte requerido para el traslado de ciudad en ciudad con la ayuda de las cooperativas del sector petrolero se logró conseguir al menos unos 6 buses pagados por los días que duraba dicha travesía, y por ultimo otros equipo debía gestionar todas las correspondencias y logística para la realización del acto central en la ciudad de Bogotá y la rueda de prensa, aquí fue muy importante la ayuda del sindicato para este proceso, lo cuales nos ayudaron a contactar y de alguna forma asegurar que dichas personalidades garantizarán su asistencia a la rueda de prensa y el acto central, en el cual estaba participando de manera activa junto con los compañeros Moisés Barón y Oscar Sánchez, entre otros. Gracias a los buenos oficio del sindicato pudimos concretar varias reuniones con personajes políticos como en su momento lo fuese el Doctor CARLOS GAVIRIA DIAZ (QEPD) quien fuese candidato a la Presidencia de la República de Colombia y en su momento estaba en plena campaña política, al igual que los senadores y representantes a la cámara del congreso de la república de Colombia. Entre ellos los señores y señora, JORGE ROBLEDO, PIEDAD CORDOBA, VENUZ ALVEIRO SILVA, ALEXANDER LOPEZ, entre otras personalidades de la vida política del país. Para lograr la presencia y el apoyo de ellos en una gran rueda de prensa y acto político en la plaza pública "Manuel Gustavo Chacón" en la ciudad de Bogotá justo al lado donde se encuentra ubicada la principal oficina de dicha empresa, lo cual de alguna forma ayudo en el proceso del fallo de dicho tribunal.

En el proceso de la marcha hacia la ciudad de Bogotá, existieron algunos inconvenientes, como por mencionar algunos, al iniciar la marcha en la puerta principal de la refinería de Barrancabermeja no contábamos con la representación del sindicato ya que ningún líder sindical había llegado al sitio de encuentro, probablemente no pensaron que fuésemos capaces de conseguir los recursos para realizar tan loable tarea, ya que es importante recordar que cuando fuimos a pedirle el apoyo a la Junta Directiva Nacional del sindicato para la realización de esta actividad, la respuesta fue un rotundo no, ya que según ellos era muy costoso y no tenían los recurso.

Pero que al final ya cuando salíamos los despedidos y nuestras familias en marcha desde la puerta de la refinería de Barrancabermeja llegando a la sede de Uso subdirectiva Barrancabermeja, empezaron a llegar los dirigentes de la USO Nacional, lo cual fue muy importante y relevante, para el progreso de dicha tarea.

Es importante decir que la marcha su punto de partida era la ciudad de Barrancabermeja y el punto final era la ciudad capital de Colombia Bogotá, al llegar a cada pueblo o ciudad se hacía un recorrido a pie de todos los despedidos y sus familias por cada ciudad o municipio donde pasaba la caravana y luego buscábamos un sitio para poder dormir y salir al siguiente día un total más o menos de 190 personas acompañaban dicha marcha, uno de los sitios más recordados fue en la ciudad de Tunja donde acampamos en el coliseo al aire libre, pero los ronquidos del compañero que le decíamos "el torcido o trago amargo" el compañero HENRRY HERNANDEZ, no dejaron dormir a nadie además de la noche tan helada que vivimos por estar a la intemperie con ese frio tan intenso característica de dicha ciudad.

En cada ciudad donde llegaba la caravana se tenía organizado toda la logística de la alimentación, fue todo un gran trabajo en equipo que muchos recordaremos y cada quien tendrá sus propios mejores momentos.

Para no extendernos demasiados contando todas las situaciones en cada ciudad y sus diversas particularidades, podemos resumir que fueron momentos de ayuda mutua, solidaridad, afecto, compañerismo, hermandad, entre otros, que fortalecía aún más la unidad entre todos los despedidos y sus familias.

Hasta que al fin llegamos a la ciudad de Bogotá, donde nos esperan las organizaciones sociales, sindicales, campesinas, estudiantiles, entre otras, en apoyo a esta loable causa y gran marcha, es importante recordar que algunos dirigentes llegaron en avión a la ciudad de Bogotá, para tomarse la foto de la llegada de esta gran marcha, que recorrió varios departamentos y municipios del país, a nosotros lo que nos importaba era su acompañamiento en el acto central y demás.

Así, no acompañaran la marcha desde sus inicios. Aunque es importante también decir que, si existieron algunos dirigentes que, si acompañaron la caravana desde sus inicios y hasta su final, muy bien por ese compromiso de los compañeros.

El acto central se realizó con la presencia de los líderes políticos en especial el candidato a la Presidencia el Dr. CARLOS GAVIRIA DÍAS (QEPD), es de gran relevancia haber tenido en dicho escenario quien fuese ponente de la

Acto político días antes del Fallo del Tribunal Ad-hoc, con la presencia del Candidato a la Presidencia de la Republica de Colombia, Dr. Carlos Gaviria Díaz (QEPD). Declaraciones del Presidente de la USO, el Compañero Jorge Gamboa. (Foto: Archivo Aury Sara Marrugo)

sentencia T-568/99, de la corte Constitucional la cual hace referencia a un caso muy similar en donde fueron despedidos 209 trabajadores de las Empresas Varias de Medellín ESP, quien en dicha sentencia y teniendo en cuenta las recomendaciones de la OIT entre otros aspecto de gran relevancia, procede a ordenar a las empresas

179

Varias de Medellín ESP, REINTEGRAR a los 209 trabajadores despedidos.

Es decir que el Dr. Carlos Gaviria conocía muy de cerca lo que posiblemente estaría pasando por la cabeza de los Árbitros del Tribunal de Arbitramento Voluntario Ad – Hoc, por haber sido Magistrado de la Corte Constitucional y haber fallado a favor de los trabajadores en un caso muy similar al que se estaba llevando en dicho Tribunal. También fue Presidente de la Corte Constitucional de Colombia es decir que tenía todas las credenciales para poderles decir a los Magistrados de dicho Tribunal Ad – Hoc lo que él había vivido y los motivos que lo llevaron en dicha ponencia T-568/99, y reintegrar a 209 trabajadores despedidos de las empresas Varias de Medellín ESP.

El Dr. Calos Gaviria Díaz, entrego un muy buen discurso exhortando al Tribunal de Arbitramento AD – HOC, a dar ejemplo de justicia y equidad entre otras, al igual los demás discursos de los demás líderes y lideresas de las organizaciones políticas representativas del momento.

En este proceso se realizaron varias reuniones previas con todos los senadores que notificaron su participación en el evento, recuerdo una de ellas en la cual me acompaño el compañero Moisés Barón, en la oficina de uno de los senadores que acompañaría el evento dentro del recinto del senado de la república de Colombia, donde asistieron varios senadores entre ellos el candidato a la Presidencia

Doctor Carlos Gaviria Díaz, el cual nos dijo en dicho momento, "que debíamos de ser nosotros los que inicialmente tendríamos el compromiso de hacer visible nuestras situación y luego de eso ellos veían como podían ayudarnos". Para resumir la reunión duró aproximadamente una hora y lo dicho por el Doctor Carlos Gaviria lo pudimos lograr con la marcha desde Barrancabermeja hasta la ciudad de Bogotá.

Acto político días antes del Fallo del Tribunal Ad - hoc, con la presencia de senadores, representantes de partidos políticos, entre otras personalidades del momento. Declaraciones del Senador Jorge Robledo. (Foto: Archivo Aury Sara Marrugo)

También contamos con la participación de muchas otras organizaciones sociales, sindicales, estudiantiles, entre otras, con quienes también nos reunimos previamente con la intención de informar de nuestra situación en general, además de recoger fondos para garantizar el retorno de la caravana de despedidos y sus familias, en cada reunión con cada organización sindical, social, estudiantil, gremial y popular, se informaba cómo estaba avanzando todo el proceso y se les manifestaba a todos de la importancia del fallo Tribunal de Arbitramento Ad - Hoc, del cual dependía que se le ratificara el despido a todos los trabajadores despedidos o que se logrará el reintegro de todos o por lo menos de una inmensa mayoría; se tenía la certeza que este fallo si bien era sobre aspectos jurídicos, la presión política podría motivar a que los árbitros buscaran hacer su mejor esfuerzo para poder justificar jurídicamente el reintegro de muchos de los trabajadores despedidos.

Gracias a todo ese trabajo previo de reuniones y demás, se logró una nutrida participación a la rueda de prensa y al evento central en la plazoleta de la libertad "Manuel Gustavo Chacón", donde llegaron más de 2.000 personas al evento central en dicha plazoleta donde fueron de mucha ayuda cada una de las intervenciones de cada una los líderes sociales y políticos en donde cada discurso se le solicitaba de forma directa y precisa al Tribunal de Arbitramento Ad - Hoc, que tratara en lo posible de entregar un fallo lo más justo posible. Después de la rueda de prensa y el evento central en la Plazoleta, se empezó ese mismo día un ciclo de vigilias nocturnas en dicha plazoleta, como para darle a entender a la empresa Ecopetrol, que allí seguíamos todos los despedidos con el acompañamiento de algunas organizaciones sociales, sindicales y estudiantiles, al pendiente del resultado de dicho fallo del tribunal, personas de carne y hueso doliente de dichas circunstancias, que reclamábamos un fallo justo y equitativo.

La plazoleta queda justo al lado del edificio central de Ecopetrol, en la cual se pudo llevar a cabo esta nutrida vigilia de los despedidos alrededor de 9 días continuos con la presencia de varias organizaciones populares, campesinas, estudiantiles, entre otras, del cual siempre estaremos agradecido a todos por su participación. Es importante decir que cada día de vigilia siempre estuvieron acompañadas por un intenso frio característica principal de la capital Bogotá.

Queda claro que la marcha, la rueda de prensa y el evento político central fue un total éxito, se consiguió que de alguna forma que todo el país conociera de dicha situación que aquejaba a 253 trabajadores injustamente despedidos que pedían un fallo justo y en equidad.

Sentíamos que habíamos hecho nuestro mejor esfuerzo y de alguna manera esperábamos que esta notoria acción tuviese alguna influencia para que el fallo del Tribunal no fuese otra derrota.

Lo importante para todos los despedidos, era que se había materializado y desplegado un hecho real y palpable por todo el país que en sus inicios nació como una idea o sueño. Es decir, la tarea se había cumplido, dicho sueño se había convertido en realidad, solo quedaba esperar su efecto en el escenario del tribunal de arbitramento Ad-hoc.

Llegado el día del tan esperado pronunciamiento del fallo del Tribunal de Arbitramento en fecha del 22 de enero de 2005 (La fecha oficial del fallo fue el 21 de enero de 2005, la reunión para leernos a todos los despedidos dicho fallo fue el día 22 de enero de 2005). Nos reunieron a tos los despedidos en el edificio de la USO Nacional en la ciudad de Barrancabermeja para ser leído el pronunciamiento del fallo del Tribunal como tal, el cual se convertía en una gran puerta que empezaba a devolvernos la moral para seguir en la búsqueda de la meta final. Para mencionar lo referente a este fallo, es importante observar que el Tribunal para poder tomar su decisión decido dividir el total de los despedidos en 7 grupos de acuerdos a unos parámetros de procedimiento en la ejecución del proceso administrativo de despidos, enfocándose más que todo en lo referente a la citación a descargos de la siguiente manera:

Primer grupo: Personas que concurrieron a rendir descargos.

Segundo grupo: Trabajadores con contrato a término fijo.

Tercer grupo: Personas respecto de las cuales existen la constancia de haber recibido, por si o por interpuesta persona, la citación para concurrir a diligencia de descargos y no asistieron.

Cuarto grupo: Personas que rehusaron la citación a descargos y no concurrieron a la misma.

Quinto grupo: Personas cuya citación a descargos fue recibida por la USO y no asistieron a rendir descargos.

Sexto grupo: Personas respecto de las cuales no se encontró anotación alguna de la citación a descargos.

Séptimo grupo: Personas con anotación de imposibilidad de entregarles la citación a descargos.

De lo cual, hago las siguientes apreciaciones al respecto, de acuerdo al enfoque del tribunal en la citación a descargos: El tribunal no tuvo en cuenta el contexto y/o verificar si dicha información que le estaba brindando la empresa de mensajería era real, ya que para el caso personal pude demostrar mediante proceso ordinario laboral que nunca me rehusé y que realmente fue una anotación que decidió colocar el mensajero a su libre albedrío al no encontrar a nadie en la casa donde yo residía, pero lo más grave es que el tribunal no hace un pronunciamiento de fondo, ya que dicha huelga y en especial su declaratoria de ilegalidad tuvo muchas inconsistencias, las cuales si fueron tenidas en cuenta por la Organización Internacional del Trabajo en su fallo de la reclamación que se realizare en tal sentido con el caso 2355.

Lo que se evidencia con todo el resuelve de este caso por parte del Tribunal de Arbitramento Ad - Hoc y en especial de quienes lo integraban es que dicho tribunal busco una fórmula, que por un lado mostrará un fallo al parecer condescendiente con los trabajadores al reintegrar a la mayoría y solo ratificarles el despido a solo 33 trabajadores incluido el suscrito.

Pero al final termina condicionando a todos los trabajadores reintegrados a que fuesen nuevamente procesados mediante la aplicación de ley 734, para que se corrigiese los posibles errores en los que pudo haber incurrido la administración de la empresa en los procesos anteriores de carácter convencional, para que allí pudiera efectuar muy bien las cosas y dejar nuevamente en firme todos despidos, tal como al final ocurrió y solo unos pocos fueron los que se salvaron de ser nuevamente despedidos.

El tribunal de arbitramento voluntario ordena reintegrar condicionalmente a 106 trabajadores despedidos durante el proceso huelguístico entre La USO y Ecopetrol, además indemnizar a 22 Trabajadores que tenían contrato de trabajo a término fijo y por ultimo deja con ratificación del despido a 33 trabajadores en cuyo listado mi nombre aparecía.

El total de despedidos que dejo la huelga como tal fue de 248 despedidos, de esos solo fueron incluidos en el tribunal de Arbitramento Voluntario Ad-hoc a 161 trabajadores despedidos ya que el restante 87 trabajadores dejaron de ser despedidos con el acuerdo del levantamiento de la huelga el 26 de mayo del 2004 donde se acordaron 19 pensiones plenas y 68 pensiones proporcionales.

En todas las actividades y marchas, siempre conté con el apoyo de mi esposa Liliana.

Ustedes no se imaginan el dolor tan grande que sentí al ver que mi nombre no estaba dentro de los reintegros de dicho fallo del tribunal, pero mi Dios sabe cómo hace sus cosas, si bien era muy doloroso este fallo para mí, para otros compañeros se abría una puerta para seguir en la brega, un total de 106 trabajadores habían sido reintegrados, lo único malo es que todos ellos estaban condicionados a enfrentar otro proceso disciplinario donde difícil mente iban a salir bien librados y con el tiempo nuevamente estaríamos la gran mayoría en el punto de partida, aunque ya con oxígeno y nuevas perspectivas referentes al que hacer.

Lo difícil de que nos hubiesen ratificado el despido era la situación económica que no daba espera y además se estaba cerrando esta puerta sin ninguna posibilidad de momento de ser abierta, es decir tocaba buscar otra fórmula para tratar de abrir otra puerta y ya con las angustias de los compromisos económicos, eso hacia la cosa un poco más difícil.

Desde este momento fue el primer gran momento para empezar a ver las cosas desde otra perspectiva, para entender que depender de un salario era lo más riesgoso en la vida, ya que cuando te lo quitan de la mano, quedamos sin posibles salida de emergencia, es decir no teníamos la conciencia que era muy necesario empezar a entender que por muy seguro que parezca un (trabajo, empleo, ingreso de autoempleo), debemos siempre tener otros tipos de ingresos que dependan en el 100% de cada uno, así en el comienzo solo sea aprendizaje y practica que con el tiempo si existe la constancia, persistencia, disciplina y entrega a lo que queramos realizar lo podemos conseguir, es así como este mismo caso del despido se estaba convirtiendo en una meta o sueño colectivo por conseguir, al igual debían ser nuestros propios sueños de manera individual, para lograr tener otras entradas o ingresos que nos garantizarán el estilo de la vida que realmente queremos, para así poder dedicarle lo más valioso que existe, que es en realidad el tiempo, a lo que más nos guste y nos llame la atención, además de la calidad de tiempo que le podríamos dedicar a DIOS y a nuestras familias que en últimas es lo más importante.

Cuando vamos perdiendo las oportunidades y vemos que las cosas no están saliendo como queremos, es allí donde nos ponemos realmente a prueba, cuando el oxígeno se acaba y aún existe mucha distancia por recorrer nuestra mente empieza a generar las alarmas para buscar uno de los dos caminos que existen, el de claudicar y tirar la toalla, o el de poner a máxima prueba nuestras resistencia y nuestra mente en búsqueda de otras alternativas que nos puedan dar un poco más de oxígeno para poder encontrar las reales alternativas en búsqueda del éxito en la tarea encomendada, lo cual no va a ser nada fácil, la clave está en que solo los que avanzan mediante la acción así estemos cayendo una y otra vez, levantándose de cada caída para construir nuevas etapas del engranaje del éxito, serán los que se atrevan a ello, los que realmente lo pueden lograr, el resto vera pasar una y otra vez el tren de las oportunidades sin poderse montar en él.

Después de ese trago amargo de quedar por fuera de los posibles reintegros en el Tribunal de Arbitramento voluntario Ad – hoc, se empieza a construir otra nueva historia en búsqueda de nuevas posibilidades.

Se cierra una puerta, de inmediato debemos activar nuestra mente en búsqueda de encontrar una nueva puerta que abrir, una y otra y otra vez, las veces que sea necesario hacerlo. El ciclo se repite hasta que lo logres, no es fácil, pero no hay de otra.

Ya un poco más reposados y después de digerir lo que paso, empezamos a viabilizar otras probabilidades en el proceso ya que si uno se cae solo le queda levantarse y seguir buscando alternativas de lograr los objetivos propuestos o ponerse a llorar y dejar que las cosas pasen como quieren los demás que pasen más no, lo que tú quieras que realmente pase, cosa que algunos me criticaron por que para otros ya todo se había acabado en especial los que habían quedado reintegrados, pero lamentablemente para ellos el proceso apenas empezaba y nuevamente les fueron abiertos procesos disciplinarios de ley 734, para ratificarles el despido a muchos de ellos.

Sobre ello quiero resaltar que lamentablemente a pesar de estar recibiendo aquellos compañeros, una muy buena noticia de poder ingresar nuevamente a laborar, el tiempo y el condicionamiento que dejaba el tribunal de arbitramento Ad – Hoc, tendría su efecto más temprano que tarde. Recordaba las palabras del Presidente de la empresa en dicho momento, en una entrevista al inicio del proceso del tribunal de arbitramento Ad-hoc para el caso de los despedidos, donde le preguntaban al respecto de cuál iba a ser el futuro de los despedidos en dicho tribunal, donde aseguraba que a todos se le iba a ratificar el despido, al parecer él también tenía la bola de cristal que predecía el futuro, ya que muy pocos fueron al final los que lograron reintegrarse, la gran mayoría quedaron nuevamente despedidos.

Lo importante no es el resultado, sino todo el aprendizaje que deja el proceso, levantarse de tu primera derrota es símbolo de gallardía, al hacerlo estas enviando un mensaje de que vas por más, así posiblemente lleguen más caídas, sacándole a cada una de esas caídas todo el aprendizaje posible en especial diferenciar lo que se está haciendo mal y que se está haciendo bien, para poder hacer las correcciones de lo malo y aumentar las acciones en lo bueno, es importante tener esto en cuenta en todos los procesos de la vida.

Es por eso que me reuní con los pocos que quedábamos despedidos solo a 33 ex trabajadores que nos ratificaron el despido en dicho tribunal, al parecer de nada había servido para los 33 el esfuerzo de la marcha, rueda de prensa y acto político, entre otros.

Existió un caso aún más complicado y difícil de entender cómo, el que le ocurrió al compañero John Alexander Rodríguez Quintero, que después de haber sido reintegrado por el Tribunal (página 215 del Fallo del Tribunal de Arbitramento AD – HOC), donde aparece John Alexander, reintegrado por dicho tribunal, días después en una revisión que efectuó dicho Tribunal decidió que John debería quedar al igual que nosotros despedido, por supuestamente rehusarse a recibir la citación a descargos.

La llegada de John Alexander al grupo de despedidos ratificados por el tribunal hacia que el grupo fuese ahora de 34, lo cual de alguna forma fue importante para liderar algunas de las tantas acciones que debimos inicialmente enfrentar solo los 34 trabajadores que estábamos al parecer quedando en el momento despedidos.

Las 34 ratificaciones de los despidos corresponden de acuerdo a cada análisis en cada grupo realizada por los Árbitros del Tribunal.

Del grupo 1: "Trabajadores que concurrieron a rendir los descargos" en total 8 ratificaciones del despido.

Del grupo 3: "Personas a la cual existe la constancia de haber recibido por sí o por interpuesta persona la citación para concurrir al descargo y no asistieron" en total 7 ratificaciones del despido.

Y del grupo 4: "Personas que rehusaron la citación a descargos y no concurrieron a la misma" en total 19 ratificaciones del despido, en este grupo fue incluido el compañero John Alexander Rodríguez.

Acuerdo Final

Habiendo pasado la página del Tribunal de Arbitramento Voluntario AD .- HOC, al parecer para muchos este tema de los despedidos de la huelga del 2004, había quedado cerrado…, pero al parecer. No para todos los despedidos…

Era necesario que los 34 trabajadores despedidos que habíamos quedados sin ninguna esperanza, retomáramos las banderas dándonos motivación entre nosotros mismos, por difícil que estuviese la situación, de alguna forma conseguir las fuerzas para seguir adelante, así en el momento no existiera ningún camino por dónde coger, lo importante era seguir enfocados en nuestra meta, eso nos ayudó de alguna forma a que poco a poco fuéramos retornado a las reuniones nuevamente algunos pocos compañeros despedidos inicialmente.

Acá quiero hacer memoria de algo muy importante que sucedió el día 22 de enero de 2005, día de la entrega del fallo del Tribunal de Arbitramento AD – HOC, en la sede la USO Nacional a todos los despedidos, fue un día de mucha felicidad para muchos compañeros que fueron reintegrados a sus puestos de trabajo, pero para 33 personas era un día muy triste, debido a que ya los 33 estábamos quedando por fuera de cualquier posibilidad de reintegro, con dicho pronunciamiento del fallo, los 34 despedidos fue una semana después con la ratificación de la revisión que hiciere el tribunal a dicho fallo, donde dejaba también ratificado del despido a John Alexander, por eso hablo en este momento de 33 despidos ratificados el día de la lectura del fallo.

Todos incluido los 33 trabajadores que estábamos quedando por fuera al parecer de cualquier posibilidad de reintegro, le Habíamos trabajado muy duro en la realización de los eventos de la marcha, rueda de prensa y el acto político en Bogotá y veíamos como un castigo esa ratificación del despido, por habernos atrevido a ayudar de forma decidida en dicho proceso, recuerdo que cuando mi nombre se mencionaba como uno de esos 33 que quedábamos por fuera de todo, muy consternado y triste por no estar dentro del listados de los trabajadores reintegrados en ese momento como un chiquillo, me eche a llorar por la impotencia de al parecer, algo ya consumado. Y estando en ese momento derrumbado y al parecer sin esperanzas en un momento muy difícil, de mucha nostalgia, se me acerca una persona a quien apenas distinguía y con quien no tenía mucho acercamiento, como lo era el compañero CÉSAR EDUARDO LOZA ARENAS, quien en ese entonces era el Presidente de la subdirectiva casabe, y me dice "que lo lamentaba y que si en algún momento me podía ayudar que lo buscará".

Dichas palabras sin saberlo serían el comienzo de un gran desenlace en el proceso para el reintegro de todos los despedidos y el inicio de una gran amistad.

Ahora venía un proceso bien complicado, levantar la moral por la derrota sufrida, lo cual no fue fácil, muchos tenían la moral en el piso y no querían saber nada más de dicho proceso, solo querían buscar otro trabajo y pasar la página, a lo cual les dije insistentemente que teníamos que encontrar otra puerta para poderla abrir, lo cual parecía algo imposible debido a que el propio fallo del Tribunal Ad – Hoc nos había catapultado un escenario jurídico – político acordado entre empresa y sindicato, entre otros aspectos, aunque desde ese momento sabía que eso no era lo más importante, lo más importante era que la gran mayoría se convenciera que si se podía y que podíamos encontrar esa otra puerta para empezar nuevamente a abrirla, lo cual iba a ser una muy dura tarea.

Muchos no volvieron a llegar al sitio donde nos reuníamos frecuentemente, otros pudieron encontrar otro trabajo y de alguna forma continuar con sus vidas y unos muy pocos aun continuamos reuniéndonos aunque ya con muchos más problemas personales de deudas, problemas familiares y demás, cosa que no era fácil sobrellevar, por lo que inicialmente decidimos estar atentos de la reclamación del caso 2255 de la OIT y estar presionando para que desde el sindicato se hicieran los mejores oficios cada año que había reunión de la Organización Internacional del Trabajo "OIT" en Ginebra (Suiza) y que el caso no fuese archivado u olvidado, teníamos que estar atentos presionando de alguna forma para que saliera alguna decisión ojala favorable.

Empezamos a retornar a nuestras reuniones con los pocos que quedamos para ir revisando otras posibilidades lo cual nos mantenía vivas las esperanzas de lograr la meta final, pero con el tiempo y debido a las grandes necesidades de cada familia de cada trabajador despedido cada uno empezó a buscar la forma de conseguir algún ingreso económico para solventar las necesidades del hogar, para mi caso personal, me había quedado un taxi, antes de ser despedido como parte de mi primer emprendimiento, por lo que fue necesario trabajar el mayor tiempo posible buscando un buen ingreso, pero como poco conocía de la materia no era fácil el diario trajinar, a su vez me empecé a apartar del proceso de reunirnos y trabajar en nuestra meta o sueño del reintegro, es decir en poco tiempo el grupo de despedidos se desintegro y las reuniones ya no se realizaban, lo cual era aún más desesperante, a la vez el trabajo de ser taxista no me estaba dando resultados, era más lo que tenía que pagar en cuotas del préstamo de dicho vehículo y los gastos de mantenimiento, que lo que realmente podía conseguir como ingreso para llevar a mi casa, esto no podía seguir así, además de los problemas familiares por mi poca presencia en mi hogar en especial con mi esposa debido al trabajo en dicho taxi.

Un día de esos de trabajo como taxista me sucedió algo que fue la tapa...Hasta fue algo gracioso, pero a la vez un poco peligroso.

Como el taxi se trabajaba en dos turnos de doce horas cada uno, y por mi poca experiencia hacia mi turno en el día y otra persona realizaba el turno de la noche, el cual tenía mucho conocimiento del tema, diría que demasiado...

Y al él entregarme el vehículo en un día normal, para empezar mi turno, a las 6: 00 am, revise de forma minuciosa el taxi, como lo hacía todos los días, sin encontrar ninguna inconformidad, por lo cual procedí a empezar mi rutina de trabajo, pero pasadas pocas horas si al caso dos horas de trabajo cuando me disponía a realizar un giro de 180 grados, observo que unas de las llantas del vehículo sale disparada hacia un lado, menos mal iba muy despacio, es decir el carro estaba destrozado por tanto trajín que le daba la persona que lo trabajaba en el turno de la noche, de quien luego me informaron que viajaba todas las noches entre ciudades, generándole un enorme desgaste a dicho vehículo y a pesar que él me entregaba un buen producido no eran realmente unos ingresos que compensaran con el desmesurado desgaste del vehículo, lo cual no alcanzaban para su arreglo, fue así que ese día que me paso lo que acabo de comentar, comprendí que entre más tiempo perdía al frente de un trabajo que para nada me gustaba y que por culpa de él estaba perdiendo mi hogar y el seguimiento y enfoque en lo para mí en ese momento era lo importante y que de alguna forma era una meta o sueño de todos los despedidos en lo individual y colectivamente, por lo cual decidí vender dicho taxi y buscar de alguna forma un trabajo para poder dedicarle más tiempo a lo que en ese momento era mi sueño y que a futuro se convertiría en el sueño de muchos otros, solo quiero comentar al respecto que muchas veces estamos en un trabajo, empleo o auto empleo que no nos gusta pero de alguna forma no hacemos absolutamente nada para salir de él y buscar alguna otra forma de conseguir un ingreso que nos sirva de apalancamiento para poder desarrollar nuestros reales sueños y en esa misma vía fue que decidí en el año 2022 acogerme a un plan de retiro voluntario de la empresa para poder desarrollar mis nuevos sueños, de lo cual al final les informare sobre este particular...

Luego de vender dicho taxi y quedar sin ningún tipo de ingreso, recordé que existía un ex compañero de trabajo Fredy Hidalgo (a quien le llamábamos "Paporro") quien era dirigente sindical de la subdirectiva Barrancabermeja para la época de los hechos, el cual muy al parecer me podía ayudar a encontrar de alguna manera un ingreso, mediante un empleo como guarda de seguridad, ya que él de alguna forma podía recomendarme para una oferta de empleo temporal con una firma contratista de vigilancia, debido a que ellos los dirigentes de la subdirectiva de Barrancabermeja dentro de sus instalaciones tenían vigilantes y muchos de ellos eran por decirlo de alguna forma recomendados por sus dirigentes en ese entonces..., cuando le comente que me ayudará para dicho empleo al parecer no me creía que quería trabajar como guarda de seguridad, después de insistirle, me responde que si podía ayudarme, y gracias a esa ayuda pude conseguir un empleo de forma temporal en una empresa de vigilancia lo cual me ayudo a retornar muchas cosas entre ella el enfoque hacia la meta inicialmente trazada como sueño "el reintegro", tenía un ingreso que me ayudaba a solucionar mis problemas de necesidades básicas y solucionar los problemas en el hogar, a su vez tenía tiempo para agrupar y ayudar a coordinar con los demás compañeros despedidos nuevamente las tareas hacia el logro de el objetivo inicial.

El tiempo es un recurso invaluable, sin él sería muy difícil desarrollar nuestros proyectos, por eso debes aprovecharlo al máximo y no permitir que se te vaya de las manos sin construir lo que realmente necesitas para ser feliz.

Fue así que empezamos nuevamente a reunirnos los despedidos en la sede sindical donde yo laboraba como guarda de seguridad es decir en la subdirectiva de la USO Barrancabermeja, lo cual me daba mucho más tiempo para hablar y buscar entre todos posible salidas e ideas, así como también estábamos más al tanto de todo el tema en la OIT, con el caso 2355, al cual le llegó su hora y tiempo de una recomendación de dicho órgano internacional, la cual se convirtió en la gran puerta que estábamos buscando para poder abrir el tema de los despedidos en los diferentes escenarios jurídicos y políticos, y fue así como se logra dicho pronunciamiento a favor de todos los despedidos; en donde el Consejo de administración de la OIT, decide aprobar las recomendaciones formuladas por el Comité de Libertad Sindical en el párrafo 488 (caso número 2355, Colombia) del informe general en la reunión 293ª realizada el 17 de junio de 2005, bajo la Presidencia del Señor Philippe Seguín (Francia) y del Señor Carlos

Tomada. Aunque en el principio para el Gobierno Colombiano, solo era una "recomendación" sin carácter vinculante para ellos, la cual recomendaban o le pedía al Gobierno realizará las modificaciones necesarias en particular al artículo 430 literal (h) del Código Sustantivo del Trabajo de manera que la huelga sea posible en el sector del petróleo pudiendo preverse un servicio mínimo negociado de funcionamiento, con la participación de las organizaciones sindicales, el empleador, y las autoridades públicas concernidas. Como también le pide se revise el tema de todos los despedidos de la huelga del 22 de abril del año 2004, para dejarlos sin efecto.

Sin tener muy en claro el real trasfondo que podría significar dichas recomendaciones en especial para todos los despedidos, y el efecto que se podría lograr con dichas recomendaciones, que en el principio para muchos no valían de nada ya que solo le pedían y solicitaban al gobierno revisar dichos temas sin tener realmente un carácter vinculante, pero que no dejaban de ser una solicitud directa de una organización de carácter internacional.

Sin saberlo estas recomendaciones se convertiría en la llave que abriría las puertas y escenarios necesarios para lograr el fin propuesto, recordar que muchos nunca estuvieron de acuerdo en aceptar la reducción de nuestro auxilio para aportar el recurso económico necesario para poder interponer dicha queja en la OIT.

Este fallo de recomendaciones al Gobierno de Colombia, inicialmente nos daba moral para seguir insistiendo con un nuevo argumento en diversas instancias.

Luego de muchas más reuniones surgieron algunas ideas de compañeros que vieron que se podía instaurar nuestras reclamaciones de forma interna directamente entre empresa y sindicato por medio del Comité de Reclamos constituido entre la empresa y el sindicato mediante la Convención Colectiva de Trabajo, era un recurso legítimo que aún no habíamos explorado y que se convertía en una pequeña luz al final del camino, de una nueva puerta que se estaba empezando a abrir.

Logramos con ayuda de todos empezar nuevamente con este proceso al interior del comité de reclamos los cuales son como los juzgados, pero dentro de la empresa para revisar todas las reclamaciones de los trabajadores y ex trabajadores, y con ello encausar nuevamente nuestros procesos, al principio no fue fácil ya que existía un proceso del Tribunal de Arbitramento Voluntario Ad – Hoc, acordado con la empresa lo cual fue el primer obstáculo, pero bueno, seguimos adelante...

Hasta que fueron aceptadas las primeras reclamaciones en dichos comités de reclamos, después de mucho insistir, inicialmente por parte de los trabajadores que habían sido reintegrados en el Tribunal Voluntario AD – HOC, a los cuales les habían abierto otro procedimiento disciplinario, cuyo fallo para muchos habían sido ser despedidos nuevamente además de una sanción disciplinaria de inhabilidad, lo cual desde ya se convertiría en un problema a futuro para ellos, en el comité a muchos de ellos le fue muy bien y estaban siendo reintegrados en su primera instancia, lo cual hacia que volvieran a sus anteriores empleos a la espera del fallo en segunda instancia.

Dichas reclamaciones en los comités de reclamos se convertían en otra puerta que se estaba abriendo con dicho fallo de primera instancia donde muchos lograban un reintegro de momento temporal debido a que el fallo siguiente daba la legitimidad y cierre del proceso para hacerlo finalmente un hecho real o no.

Con estos resultados nace una nueva etapa del engranaje en este proceso, nos tocaba consolidarla y esperar que dicho resultado se mantuviese en el tiempo y se generalizará para el resto de compañeros despedidos. Por lo que la gran mayoría empezamos a seguir esta nueva ruta y fue así que también decidí proceder a instaurar mi reclamación y poder ver consolidado después de 3 años de estar despedido mi tan anhelado reintegro, a la espera del fallo en segunda instancia, como muchos otros compañeros.

Antes de continuar quiero resaltar algo que viví en mi época como guarda de seguridad, primero que todo se conoce que existen otros mundos, otros sueños, personas que diariamente luchan por salir adelante desde sus empleos con otras perspectivas, pero que lamentablemente dichos empleos son muy mal remunerados y con muy pocos beneficios al no estar dentro de los trabajos que se hacían en otrora de forma directa por parte Ecopetrol y que el Laudo del 2003 también saco de la nómina directa, pero gracias a la unidad y disciplina de todos los compañeros guardas de seguridad los cuales han ido construyendo mitin tras mitin, paro tras paro donde sus resultados se han evidenciados en mejoras sustanciales para todos ellos.

Allí en dicho trabajo conocí a un gran compañero (Bayron, al cual le decían - "El mello" -), que con el tiempo se convertiría en mi voz positiva para seguir adelante, un amigo que sin el saberlo cada día que hablábamos me ayudaba a que mi mente se motivará a seguir soñando con la posibilidad de ser reintegrados a nuestros anteriores trabajos se mantenía viva mi esperanza, en cada turno que trabaje con él, fueron llenos de motivación, de moral, de decirme que no decayera que siguiera adelante, a lo cual le doy gracias, ya que fue así como seguí insistiendo desde el comité de reclamos, hasta lograr mi reintegro por esta vía, en fecha 21 de agosto de 2007 siendo en esta oportunidad la primera vez que empezaba a escuchar la palabra reintegro de forma real y palpable, y mediante dicha puerta que se abría, pude volver a mi trabajo inicial en Ecopetrol como operador de plantas de la refinería de Barrancabermeja.

Lamentablemente la dicha solo duro dos meses, en segunda instancia en el tribunal de la ciudad de Bucaramanga, el fallo fue a favor de la empresa y nuevamente quedé sin trabajo y en el punto inicial nuevamente estaba despedido, cosa que fue otra derrota en ese duro proceso de reintegro..., menos mal había dejado buena referencia en mi anterior trabajo de guarda de seguridad y aún conservaba dicho empleo, y gracias a ello pude continuar aportando en el proceso de reintegro de los despedidos, decirle que todas las reclamaciones en los comités de reclamos se ganaban en la primera instancia pero se perdían en segunda instancia, a pesar de estar muy bien argumentadas jurídicamente. Lo cual en general fue otro duro golpe para todos, nuevamente en el punto de partida, la gran mayoría despedidos...

Volvimos a comenzar con nuestras reuniones, aunque muchos decepcionados y con la moral en el piso por el golpe de ser nuevamente despedidos. Todo esto era muy decepcionante ya que muchos de los compañeros despedidos que el Tribunal de Arbitramento Voluntario Ad – Hoc, había reintegrado, pero con dicho fallo habían quedado condicionados a nuevos procesos disciplinarios de ley 734 por el mismo tema de la huelga, muchos de ellos habían sido nuevamente despedidos e incluso sancionados con inhabilidades paras ejercer cargos públicos de más de diez años. Es decir, ahora tenían doble sanción.

Todo esto hizo que en esos momentos algunos compañeros despedidos propusieran que tiráramos la tolla y que dejamos el tema quieto, para que cada quien buscará desde sus individualidades como resolver su situación personal, a lo cual muchos otros dijimos que no, que siguiéramos, que a pesar de la derrota teníamos a nuestro favor las recomendaciones de la Organización Internacional del Trabajo "OIT", el cual aún no habíamos explorado a fondo, y sabíamos que era de gran relevancia e importancia y que podría servirnos de mucho a futuro...

El grupo ya no era de 34 despedidos, sino de más de 80 compañeros todos nuevamente despedidos como al terminar la huelga e incluso para algunos se complicaba aún más el tema de un posible reintegro, debido a que se le anexaba a su despido el tema de las inhabilidades.

Es así como nos volvimos a juntar y nos volvimos a reunir, y en dichas reuniones decidimos seguir insistiéndole al sindicato que continuara con nuestro proceso de reintegro ante Ecopetrol y después de mucho insistir logramos que el sindicato llevara ante la nueva negociación del pliego de peticiones para la convención colectiva de trabajo del año 2009, donde se incluía un punto referente al tema de los despedidos de la huelga del año 2004, ya no éramos 33 sino más de 80 trabajadores, muchos de los trabajadores despedidos que el tribunal había reintegrado, nuevamente habían sido despedidos mediante los procesos de la ley 734, tal y como en su momento lo dijese el presidente de la empresa Isaac Yanovich, que mediante dicho proceso la gran mayoría sería nuevamente despedida, el presidente al parecer si tenía una bola de cristal que le revelaba el futuro de forma contundente, o al parecer todo estaba fríamente calculado, como también nuevamente muchos quedaron despedidos en los procesos de los comités de reclamos, en especial en su segunda instancia en el tribunal de la ciudad de Bucaramanga y demás tribunales del país, donde al parecer es muy difícil que un trabajador se gane una reclamación laboral.

Con la nueva negociación del pliego de peticiones para una nueva convención colectiva se volvió abrir otra puerta es decir ya iban 3 con esta puerta que se estaba apenas abriendo y que sabíamos no era nada fácil.

Durante todo el proceso la empresa nunca mostro interés por revisar dicho punto de los despedidos de la huelga del 2004, fue así como empecé a buscar cómo hablar con el Presidente de la empresa que para la época era el Doctor JAVIER GENARO GUTIERREZ PEMBRTHY, para lo cual me las ingenié.

Logrando que se dieran dos momentos. El primero lo logre al abordarlo directamente en el aeropuerto de Barrancabermeja, lo cual no fue fácil por su sistema de seguridad, pero de alguna forma logre atravesármele en la salida del aeropuerto y presentármele, él de forma muy amable les dijo a su cuerpo de seguridad que me permitieran acercarme y poderme escuchar, sin importarle la forma como lo aborde, sin cita previa ni nada por el estilo, solo fueron unos pocos minutos, aunque no fue mucho lo que me dijo pero me empezó a dar algunos tics donde me dijo lo siguiente: **"que ese proceso era colectivo más no individual"**, cosa que agradezco y que me sirvió de mucho en el proceso, debido a que muchos de los despedidos siempre pensaban en procesos individuales.

E igualmente en el segundo momento en un evento público de rendición de cuentas en el municipio de Yondo (Antioquia), donde puede nuevamente dirigirme a el Presidente de la empresa JAVIER GENARO GUTIERREZ PEMBRTHY aunque ya lo había hecho por correo electrónico y ya en dicho momento publico note que de tanto insistirle en los correos por lo menos ya sabía mi nombre, en esa ocasión estaba en el evento en compañía del presidente del sindicato el compañero César Eduardo Loza Arenas, quien ya se empezaba a interesar en el tema y con quien al mismo tiempo tenía ya una amistad más cercana, y fue hacia él, que me dirigí la respuesta el Presidente de la empresa, el Doctor Javier Genaro Gutiérrez Pemberthy me dijo "que era con el quien se podía buscar una posible solución en representación del sindicato", fue allí donde entendí que la solución era por la vía institucional es decir entre la empresa, gobierno y el sindicato directamente, creo que fue un muy buen consejo como guía hacia una posible solución, lo importante fue que el compañero Cesar Loza, también escucho y tomo atenta nota de dichas palabras, esto lo menciono porque al final del camino Cesar, sería una pieza fundamental para que esta historia termina con un resultado positivo. Todo se va construyendo por partes o pedazos al igual de cómo nos referimos anteriormente a como se "come una ballena" por pedazos...

Recuerdo también que, en muchos de estos encuentros y otros, siempre me estaba acompañando mi compañero Pedro Pablo, del cual tenemos muchas anécdotas e historias muy puntuales, de ser necesario las contaré más adelante.

Estas palabras del Presidente de la empresa, nos llevó a reflexionar y a aprovechar el momento coyuntural que se estaba viviendo en la negociación colectiva entre empresa y sindicato. Era necesario aprovechar muy bien este proceso de negociación para la convención 2009 – 2014, empezamos a organizarnos nuevamente todos los despedidos que aun creíamos que si era posible encontrar una solución para todas y todos, las reuniones se hacían directamente en la sede de la subdirectiva Barrancabermeja donde yo continuaba trabajando como guarda de seguridad y donde podía tener más tiempo para ayudar en el proceso hacia la meta trazada, donde se evaluaban constantemente lo que habíamos logrado, lo que faltaba hacer y el cómo poder construir una propuesta de impacto en la negociación colectiva que estaba empezando, además de la constante motivación que nos dábamos entre todos nosotros para poder continuar a pesar de los diversos inconvenientes que conlleva un despido...

Aquí es importante precisar que ya no era solamente una o dos personas liderando, existían ya varios compañeros despedidos liderando el proceso y creando estrategias, como lo fueron Hernán González, Nelson Abril, Gregorio Mejía, Oscar Martínez, Oscar Sánchez, Adriano Ochoa, Cesar Muñoz, Fernando Coneo, Juvencio Seija, Pedro Pablo Moreno, Dagoberto Tovar, entre otros compañeros.

Nos reuníamos en un quiosco en la sede de la subdirectiva a donde llegaban varios de los despedidos, cada día éramos más y más.

En esa sumatorias de idea fue así como decidimos hacer una agrupación de todos en un sitio especial para visibilizar nuestra problemática a la cual le denominamos

"La carpa de la resistencia", cuyo sitio escogido era el parqueadero de la refinería de Barrancabermeja, para desde allí presionar e informar a nivel nacional y general de nuestra problemática, y era necesario visualizarlo para que de alguna forma influyera en el proceso de negociación colectiva que estaba empezando entre empresa y sindicato, el cual se convertía en la tercera puerta que se podía abrir, lo primero era lograr tomarnos el puesto al interior del parqueadero de la entrada a la Refinería, cosa que no iba a ser fácil, para lo cual requeríamos el compromiso de muchos para poderlo lograr y lo más importante lograr mantenernos por varios días de forma permanente en donde estuviésemos asistiendo a dicho punto de encuentro todos los trabajadores despedidos.

Dicho punto se convertiría en nuestro puesto de mando de operaciones, en donde se evaluaría nuestro accionar en dicho proceso de negociación, además de estar cerca de todos los trabajadores de la refinería, muchos de ellos compañeros de trabajo de cada uno de nosotros los despedidos, en donde siempre tendríamos compañía de muchos de ellos, además de diferentes manifestaciones de solidaridad, para permanecer en dicho sitio de día y de noche, visitas de muchas personas a la carpa de la resistencia, y muchas otras, esto nos volvió a unificar y agruparnos aún más.

Este nuevo proceso para algunos fue difícil acompañar por lo difícil y complejo que hasta ese momento había sido todos los eventos de caídas y también levantadas de las cuales muchos nunca pensaron tener que vivir, por lo cual es sus inicios fueron muy pocos los que lo acompañaron, pero eso no fue ningún impedimento para que el resto pudiese asumir y continuar con lo que se nos avecinaba, además sabíamos que era un escenario donde podía existir un posible resultado favorable aunque desde ya sabíamos de la gran negativa de la empresa por revisar dicho punto de los despedidos de la huelga del 2004, fue así que pudimos arrancar esta otra etapa del engranaje del proceso, para ejercer presión a la negociación que nos debería llevar a otra puerta más para buscar abrirla y encontrar nuestra anhelada meta, en búsqueda de nuestro fin, que era ya declarada para mí y algunos otros compañeros como el reintegro de todos los despedidos.

Esto tampoco fue fácil, quien dijo que lograr nuestras metas era fácil, esto fue un poco más difícil, ya que muchos volvieron a conseguir trabajo y los otros estaban desilusionados y desmotivados al ser nuevamente procesados y nuevamente despedidos y con inhabilidades, muchos ya habían perdido la esperanza.

Aquí aparece nuevamente mi compañero de muchas aventuras en este duro proceso como lo fue el compañero Pedro Pablo Moreno, quien siempre estuvo creyendo en que si era posible conseguir el reintegro, fue así que el primer día que decidimos realizar ese siguiente paso de la carpa de la resistencia, solo llegamos Pedro Pablo, y tres compañeros despedidos más y mi persona, junto con algunos dirigentes, lo cual nos ponía en aprietos ya que necesitábamos mucha más gente para tomar posesión de dicho lugar, la jornada arranco con un mitin a las 6:00 am, en la entrada de la refinería, luego empezamos a ubicarnos junto con algunos trabajadores y los dirigentes que nos acompañaban en el parqueadero entre ellos el compañero Oscar Sánchez, quien nos ayudó de forma muy decida en todo el proceso, además de conseguir de forma rápida las silla, mesas, y demás elementos necesarios para ir tomando posesión de dicho sitio, los trabajadores que salían del turno amaneciendo algunos de ellos se quedaron hablando con nosotros los despedidos y los dirigentes, lo cual nos dio tiempo para llamar a todos los que nos pudieran acompañar en el inicio de dicha maratónica jornada, fue así que al principio fue un poco descoordinado, pero con el pasar de las horas logramos que llegaran unos 50 compañeros con sus esposas e hijos para comenzar empezar a organizarnos y de inmediato trazamos las jornadas de turnos para pernotar de día y de noche para no ser desalojados, esa fue mi primera noche durmiendo al aire libre en el parqueadero de la refinería de Barrancabermeja donde yo había laborado antes de ser despedido y donde siempre tomábamos el bus para devolvernos a nuestras casas después de una jornada de trabajo.

Solo éramos alrededor de 20 personas que hicimos el primer turno de noche en dicho lugar, al siguiente día, los trabajadores que cumplían sus jornadas laborales empezaron a acompañar la jornada al lado de nosotros, lo cual fue de gran motivación, siempre existía un buen número de personas apoyando a "la carpa de la resistencia de los despedidos", además ya empezaron otros compañero despedidos que trabajaban en el día nos acompañaban más tiempo en la noche y algunos de acuerdo a sus horarios empezaron a acompañarnos en especial en las noches, fue así que empezamos a vivir y convivir en dicho parqueadero a la entrada de la refinería de Barrancabermeja, allí nos recreábamos con partidos de microfútbol, sancochos, asados, integraciones, recuero que el compañero Cesar Muñoz motilaba a algunos despedidos allí en dicho parqueadero, entre otras actividades.

Es importante reconocer la gran colaboración y acompañamiento en todo este proceso desde el primer día y de allí en adelante del compañero OSCAR SANCHEZ, quien pertenecía a la Junta Directiva Nacional de la USO, y también había sido despedido en la huelga, pero que había ganado el proceso de ley 734 y no había sido despedidos nuevamente como si lo fueron muchos otros compañeros.

Oscar se las ingeniaba para conseguir alimentación y algunos otros recursos muy necesarios para nuestra permanencia en determinado sitio.

Trabajadores despedidos reunidos en el parqueadero de la puerta principal de la refinería de Barrancabermeja

Dicho punto de concentración como era el parqueadero de la refinería de Barrancabermeja, se convirtió en nuestro centro de comunicación y gestión de otras tareas alrededor de dicha carpa de la resistencia. En donde permanentemente se nos informaba de cómo iban las negociaciones entre la empresa y el sindicato en especial sobre el punto de solucionar al tema de los despedidos es decir ya teníamos la atención de la empresa de nuestra situación lo cual nos motivaba a continuar y no desfallecer.

No fue fácil este otro proceso de negociación ya que la empresa sabía que el plato fuerte de la negociación era el tema de los despedidos, iban pasando los tiempos de negociación y no pasaba nada, todo seguía igual sin siquiera una propuesta referente al tema de los despedidos, faltando pocos días para cerrar la negociación se nos informa que la empresa había entregado una propuesta a dicho tema, la cual era la de conformar una comisión para estudiar los casos de cada despedido, todos sabíamos que había pasado en otrora siempre que se dejaba en una comisión para resolver algunos temas en particular y por lo general, no pasaba nada, debido a que estos procesos no tienen la presión que genera todo lo que pueda pasar en un proceso de negociación para las partes, como ya lo hemos visto, allí se pueden generar conflictos que pueden terminar en una huelga, un retiro del pliego o un tribunal de arbitramento obligatorio que construya una nueva convección desde un Laudo. Es decir que esta comisión podría durar muchos años sin resultados positivos, fue así, que dos día antes de que se terminara la negociación y al recibir nuevamente por parte de un compañero dirigente sindical de la Junta Directiva que participaba de la negociación me confirmaba que no había más y que iban a proceder a firmar dicho acuerdo así con la solución planteada a nuestro problema creando dicha comisión, a lo cual le respondí en tono de voz desafiante y convencido que no todo estaba perdido, le dije que esa misma noche viajaríamos a la ciudad Bogotá donde se llevaba a cabo dicho proceso de negociación todos los despedidos con nuestras familias en unos tres o cuatro buses a pronunciarnos directamente en la mesa de negociación y que de plano como tal no aceptábamos dicha propuesta como solución para nuestro tema en particular.

En cuestión de pocas horas ya habíamos organizado de forma agresiva conseguir los vehículos con la subdirectiva del área de Barrancabermeja, aquí fue de gran relevancia la gestión del compañero John Alexander Rodríguez, Ángel Díaz (QEPD), junto a tres compañeros más, para poder conseguir dichos vehículos, en total tres vehículos con su respectivo combustible y poder realizar dicho viaje de forma intempestiva, salimos a las 8:00 pm de ese mismo día para poder llegar en la madrugada al club de Ecopetrol en la ciudad de Bogotá, donde se llevaba a cabo dicha negociación, algunos nos acompañaban nuestras esposas como fue mi caso, me acompañaba mi esposa LILIANA, cosa que me daba aún más moral, además llevábamos nuestras camisetas, gorras, pancartas donde reflejábamos nuestra problemática, después de un duro viaje toda la noche cooperándonos en la manejada de los vehículos entre todos, logramos llegar en horas de la mañana un poco cansados por el viaje de más de 12 horas, es decir aproximadamente a las 9:00 am a la ciudad de Bogotá llegando directamente al club donde se desarrollaba dicha negociación colectiva, sabíamos que ya estaban reunidos nuevamente negociando, antes de llegar nos organizamos para llegar en marcha mostrando nuestras pancartas aunque no éramos muchos, las pancartas deslumbraban como si fuésemos muchos o los 3 buses que yo le había dicho a aquel dirigente, pero que en realidad no pasábamos de 30 trabajadores despedidos incluidas algunas de nuestras esposas.

Al llegar al club nos enteramos de primera mano que la comisión negociadora de la empresa se había parado de la mesa por que según ellos habíamos llegado los despedidos en 3 buses a dañar el cierre de la negociación, cosa que no era cierta, ya que solo éramos por mucho 30 personas, a lo cual, lo vimos con buenos ojos, porque habíamos logrado darle un giro al proceso donde existía ya un factor de presión con nuestra presencia, y eso era bueno para nosotros, luego de ello, nos empezaron a reprochar algunos dirigentes por nuestra actitud según ellos grosera, por reclamar una solución, a lo cual enfrentamos con decisión y firmeza, luego de tener un impase un poco fuerte con el propio Presidente del sindicato del momento el Compañero German Osman, logramos sentarnos y escuchar como estaban las cosas y que ellos escucharan cual era nuestra propuesta, a la cual en un principio fue algo agresiva para el grupo negociador del sindicato y los dirigentes que acompañaban la negociación, pero luego de un debate fructífero fue acepta y fue así como el sindicato volvió a sentarse con el grupo negociador de la empresa.

Al principio la empresa no quería negociar nada de nuestra propuesta llevada por el sindicato a la mesa, pero gracias a que la propuesta que habíamos diseñado previamente con múltiples salidas como reintegros, reenganches e indemnizaciones, entre otras, lo cual podría ser atractiva para la empresa en harás de alguna forma de poder buscar una salida a dicho punto de despedidos que estaba dentro del pliego y poder firmar una nueva Convención Colectiva entre Empresa y Sindicato.

Además de la buena voluntad y destreza del equipo negociador de la USO, se empezaron a vislumbrar las primeras posibles soluciones en horas de la noche.

Pero ya un poco pasada la noche surgen algunos inconvenientes ya que según el equipo negociador de la empresa no tenían toda lo potestad o autorización para darle viabilidad a una propuesta global para todos los despedidos, fue así que el Presidente de la USO German Osman llamo al Presidente de la empresa Javier Genaro Gutiérrez Pemberthy, en la vía de buscarle una salida que agrupara a todos y poder cerrar un buen acuerdo convencional.

Siendo las 2 de la mañana llega el Presidente de la empresa al club donde se llevaba a cabo dicha negociación y en una reunión un poco más privada y con la nuestra presión desde fuera de los salones de negociación al lado donde estábamos todos los que habíamos viajado a la ciudad de Bogotá, vimos al Presidente de la empresa JAVIER GENARO GUTIERREZ PEMBRTHY y él nos vio a todos nosotros un grupo de alrededor de 30 personas lo cual para él ya eso era un acto de presión y realidad de la problemática de familias y seres reales de carne y hueso, lo cual creemos que todo ello sirvió para que siendo ya de amanecida, es decir una jornada muy extenuante, aún más para nosotros que habíamos viajado toda la noche, que no habíamos dormido nada, ni tampoco habíamos comido, era parte de un proceso donde hay que ponerla toda, así se tenga hambre, sed, necesidades y demás, porque es más grande nuestra motivación para logra la meta, que todas esas necesidades juntas.

Siendo alrededor de las 6:00 am se nos informa que fue logrado un acuerdo entre Empresa y Sindicato para el tema de los despedidos cerrando así la negociación con una nueva convención colectiva firmada ese día 22 de agosto de 2009 con vigencia del 01 de julio de 2009 hasta el 30 de junio de 2014, lo cual fue un momento de mucha felicidad, nos abrazamos entre todos los que estábamos en dicho recinto, presenciando este gran momento donde se abría una gran puerta para todos, así la solución no fuese la esperada por todos, era una solución muy importante que a todos nos daba un gran respiro y unas nuevas fuerzas para poder continuar en el camino hacia la meta propuesta.

Habíamos cumplido con lo encomendado desde el puesto de mando en el parqueadero de la refinería de Barrancabermeja, que era conseguir un acuerdo para todas y todos los despedidos de la huelga del 2004, y lo habíamos logrado, la tal comisión había quedado cancelada y se daba un buen acuerdo, aunque repito no era para todos los esperado.

Con este acuerdo algunos despedidos continuaban por fuera con una buena indemnización económica, otros éramos reenganchados, una palabra nueva para mí, ya que en mi mente estaba solo la palabra reintegro, pero la vi con buenos ojos aunque sabía que no era del todo buena ya que el reenganche consiste en volver a trabajar en la empresa pero como un trabajador nuevo donde mis más de 10 años trabajados anteriormente no eran tenidos en cuenta para nada, a muchos no les gusto, pero les dije que era parte del proceso, que debíamos aceptarla como parte del engranaje para poder continuar hacia nuestra meta final.

Se logró pasar con éxito una de las etapas de todo este extenso engranaje del proceso llamado: **"Recuperando lo**

perdido", gracias a la persistencia, dedicación, unión, no perder el norte, seguir la meta con fuerza y esperanza de lograrla, sabía que era un gran paso y que posiblemente volveríamos a apartarnos del grupo pero que ya había quedado impreso en la mente de varios de los trabajadores despedidos que si era posible buscarle una solución a todos los problemas por difíciles que fuesen, que todo era paso a paso y siempre permanecer en el camino hacia la meta deseada, que para todos ya era la misma: el reintegro de todos los trabajadores despedidos en la huelga del año 2004.

Lo importante de este gran paso es que para muchos de los despedidos que al principio no creían en que fuese posible, ya lo veían muy posible. Es decir, ya no era una meta de unos pocos, se había convertido en el sentir de todos los trabajadores despedidos.

Ya solo era cuestión de tiempo, de no decaer, seguir preguntando, insistiendo, persistiendo, buscando una nueva puerta, para entre todos lograr abrirla.

Empezamos una nueva etapa donde algunos recibieron unos dineros que les daban un respiro para seguir en la brega y a otros que paradójicamente éramos los 34 que en un principio habíamos quedados con el despido ratificado por el tribunal de arbitramento Ad-Hoc, todos empezábamos de cero nuevamente a trabajar sin ser tenida en cuenta nuestra anterior antigüedad antes de ser despedidos en la huelga, por lo menos teníamos nuevamente un buen trabajo y solucionados temas como salud y educación para nuestros hijos, entre otros. Pero para mí siempre estaba en mi mente como meta final el reintegro.

¿Porque nos dieron un reenganche y a quienes...?

Nos dieron esa figura a los que no habíamos sido procesados como lo solicito el Tribunal Ad-hoc es decir los que quedamos por fuera del reintegro en dicho tribunal, y a los que reintegraron y procesaron nuevamente por ley la 734 muchos de ellos, fueron sancionados disciplinariamente con inhabilidades para ejercer cargos públicos, esto les impedía ser nuevamente empleados de Ecopetrol como empresa estatal por eso no podían ser reenganchados, a todos ellos les dieron una indemnización económica, pero quedaban nuevamente despedidos.

Lo cual nos conllevo a reorganizarnos y replantearnos como íbamos a seguir en el proceso con esta nueva división que se nos estaba presentando dicho acuerdo. Si bien teníamos una solución muy parcializada, el objetivo trazado aún no se cumplía, es decir debíamos continuar buscando una solución definitiva que para todos era el reintegro.

Nuevamente nos habían dividido ahora en dos grupos los reenganchados y los indemnizados, pero lo importante es que ya habíamos aprendido que si teníamos clara la meta en nuestra mente, el resto era seguir persistiendo hasta abrir una cuarta puerta, la cual buscamos esta vez desde cada equipo sin comunicación fluida y sin podernos reunir permanentemente como lo hacíamos anteriormente, pero sabiendo que desde cada equipo existían personas que estaban ya decididas a lograr la meta inicial que yo tanto les insistí pero que luego se volvió una meta general para muchos de los despedidos, cada cual seguía persistiendo en conseguir el reintegro como objetivo final.

En fecha 05 de octubre del 2.009 se dio la firma de mi contrato de reenganche en donde nuevamente firmaba otro contrato a término indefinido el cual era iniciar como un nuevo empleado desde cero, la antigüedad que existía del contrato anterior desaparecía para todos los efectos con este nuevo contrato de reenganche, lo cual se convertía en una oportunidad para seguir luchando por la meta final que llamamos reintegro y para la cual desde cada equipo e incluso desde las individualidades, estábamos diariamente aportando ideas y con la ayuda del sindicato, lograr un nuevo acuerdo que definiera de forma integral y definitiva recogiendo la problemática general y fue así como logramos una mayor comunicación e interrelación con el sindicato el cual seguía asistiendo a todas las reuniones en la OIT, para presionar una salida política mediante un acuerdo de forma tripartita entre GOBIERNO – OIT – SINDICATO.

El sindicato siguió insistiendo en una solución definitiva del caso de los despedidos a nivel internacional ya que se tenía un muy buen pronunciamiento de la Organización Internacional del Trabajo "OIT" sobre dicho tema mediante el caso 2355, en donde se buscó junto con la comisión de normas de la OIT, un acercamiento con Ecopetrol y el Gobierno de Colombia para darle una salida completa y final a este tema, insistiendo en todos los espacios hasta que al final se fueron dando las cosas.

Es importante recordar que dicho pronunciamiento de la OIT, era la piedra en el zapato para el gobierno, el cual debían de alguna forma solucionar, es decir que aquel sacrificio de habernos reducido nuestro único ingreso de 800 mil a 500 mil pesos colombiano, más que nunca era el que posiblemente acercaría a las partes para poder cerrar de la mejor forma dicho caso 2355 a favor de todos incluido el gobierno y la empresa.

Por otro lado, es importante resaltar que los Compañero que fueron indemnizados del acuerdo Convencional, siguieron insistiendo por la vía jurídica y lograron varios pronunciamientos es sus procesos ordinarios jurídicos y sentencias muy relevantes sobre reintegros de varios de ellos en especial en la ciudad de Cúcuta donde se lograron fallos del tribunal en segunda instancia donde se reintegraron a varios trabajadores despedidos. Lo cual ayudo como soporte jurídico en el proceso de buscar un gran acuerdo donde no hubiese vencedores ni vencidos, fue así que se buscó un escenario donde se tuvieron en cuenta todos los elementos jurídicos internacionales y nacionales, en donde se concentraron las instituciones del gobierno concerniente al tema, la empresa ECOPETROL S.A., El sindicato USO y la OIT, en un escenario tripartito para solucionar dicho conflicto.

En este proceso es importante resalta que existía una comisión de la Junta Directiva Nacional del sindicato que estaba conformada por tres compañeros y que su función era buscar la forma de construir una solución definitiva a la situación de los despedidos de la huelga del 2004.

Pero por algunos varios años dicha comisión, no se le veía ningún resultado o movimiento, que todos los despedidos estábamos esperando, fue allí que recordé las palabras que en algún momento el compañero César Eduardo Loza Arenas, me había dicho cuando quedé por fura del tribunal de arbitramento Ad – hoc, que si en algún momento él podía ayudarme en algo sobre el tema de los despedidos que lo buscará, pues sin más ni menos lo busque y hable personalmente con él, en ese momento era miembro de la Junta Directiva Nacional, le pedí que se integrará a dicha comisión y que nos ayudará en dicho proceso.

A lo cual me respondió, que iba a revisar el tema y hacer la solicitud pertinente ante la Junta Directiva de la USO Nacional.

Al cabo de unas semanas se integró el compañero César Loza, junto a los compañeros Rodolfo Vecino quien era el Presidente de la Junta Directiva Nacional de la USO de ese momento y el compañero Moisés Barón también integrante de la Junta Directiva Nacional de la USO y quien fuese también despedido de dicha huelga en el año 2004, quien fuese reintegrado en el Tribunal de Arbitramento Voluntario Ad – Hoc, y luego de ello fue procesado como

Cesar Loza Arénas (izquierda), Javier Hernández Acosta(derecha)

todos los demás por la ley 734 y saliese bien librado ratificándose allí su reintegro, posteriormente integrará la Junta Directiva de la USO Nacional.

Desde la llegada del Compañero César Loza, a dicha comisión empezó a tener muchos más acercamientos con todas las partes involucradas, creo que para todos los despedidos fue muy visible el cambio de dicha comisión, donde fluyeron muchas reuniones que podían empezar a direccionar el proceso hacia un escenario único donde se pudiesen tomar decisiones de fondo sobre dicho tema de los despedido y poder concluir con un acuerdo integral y definitivo, con la participación activa de la OIT, en una comisión especial delegada para dichos temas en particular.

Se observa otro ambiente y las noticias empezaban a llegar con vientos de optimismo, el cambio en el actuar de dicha comisión era muy notorio, la llegada de Cesar a dicha comisión genero una dinámica muy activa donde prontamente se veían muy buenas posibilidades de un acuerdo integral y definitivo a dicho tema de los despedidos de la huelga del año 2004.

Ya en este punto por la constante comunicación con el compañero Cesar Loza sobre los constantes informes sobre el tema de todo el proceso de los despedidos en dicha comisión, pudiéramos decir que ya se había forjado una muy buena amistad que con el pasar del tiempo se fue fortaleciendo para poder decir que hoy en día somos grandes amigos.

En la recta final el sindicato en cabeza del Presidente de la USO el compañero Rodolfo Vecino y el acompañamiento permanente del Compañero César Eduardo Loza, quienes realizaron varias reuniones con la empresa, con la comisión especial de conflictos ante la OIT, el gobierno, la procuraduría, el Ministerio del Trabajo, y muchas otras instituciones, organizaciones y personalidades, para lograr coordinar y activar un escenario llamado **CETCOIT**, en donde se reunirían de forma permanente la dicha comisión con la empresa, el gobierno, la procuraduría, el ministerio del trabajo y representantes de la OIT que garantizaban que dicho escenario resolviera dicho conflicto enmarcado en el caso 2355, lo cual hacía de este un escenario con suficiente poder de decisión de acuerdo a todas las argumentaciones presentados por nuestros representantes en dicha comisión.

Lo cual nos daba una gran esperanza de que allí se pudiese lograr un gran acuerdo integral y definitivo para este conflicto, es importante resaltar que la empresa en cabeza de su Presidente Javier Genaro Gutiérrez Pemberthy presentaba buena voluntad para darle solución a este problema conocido por todos y que gracias a nuestro esfuerzo también había sido siempre difundido en todas partes donde podíamos llegar de alguna forma, en especial al lado de la organización sindical, para que ellos como nuestros representantes nos ayudarán en tan loable y necesario final a este gran proceso en búsqueda de recuperar lo perdido.

Gracias al Pronunciamiento de la OIT del caso 2355, y a la muy buena argumentación presentada por la Comisión de la USO (Rodolfo Vecino, Cesar Loza y Moisés Barón) la cual adjuntaba todos los resultados de los fallos de los procesos del Tribunal Ad – Hoc, Comités de reclamos, los diferentes fallos de la jurisprudencia ordinaria como ,los de Cúcuta entre otros, las diversas actas firmadas entre la empresa y el sindicato, los cuales fortalecieron las argumentaciones jurídicas muy necesaria para en su conjuntos ser evaluadas, estudiadas y llevadas al debate interno en el CETCOIT, con todo ello construir toda la argumentación jurídica, necesaria para dar como producto final un gran acuerdo **INTEGRAL Y DEFINITIVO** sobre el caso de los 253 trabajadores despedidos del conflicto huelguístico entre ECOPETROL y La UNION SINDICAL OBRERA DE LA INDUSTRIA DEL PETROLEO USO del año 2004 en Colombia, resuelto en la Comisión Especial de Trabajo de Conflictos ante la OIT **"CETCOIT"** para el Caso 2355.

Dicho acuerdo Integral y definitivo se logra después de una gran batalla que dura más de 9 años de muchos tropiezos, momentos de debilidad en querer tirar la toalla, para así, ese 23 de mayo del 2013 en dicho escenario del CETCOIT con todos los grupos de interés lograr este gran acuerdo que de forma Integral y Definitiva resolvía de fondo el despido de 253 trabajadores producto de la huelga del 2004.

Como podemos observar, todo fue engranando etapa por etapa para que el resultado del proceso final fuese este gran acuerdo, ya que para poder hacer realidad el pronunciamiento de la OIT en el caso 2355, nos costó a los despedidos un gran sacrificio, que al principio muchos vieron innecesario y que muchos hubiesen preferido no hacerlo, pero como podemos evidenciar, esos sacrificios en los momentos más complicadas del proceso son los realmente necesarios que con el tiempo se han de convertir en esa gran semilla que con el tiempo dan su mejor fruto.

EL 23 de mayo de 2013, mediante convocatoria que hiciere el señor Viceministro de Relaciones Laborales e Inspección Dr. José Noé Ríos, se reúnen en el despacho del señor Ministro de Trabajo, Dr. Rafael Pardo Rueda, el mediador designado por la OIT, Doctor Eduardo Cifuentes Muñoz, los representantes de la Unión Sindical Obrera de la Industria del Petróleo –U.S.O.-, señores Rodolfo Vecino Acevedo, César Eduardo Loza Arenas, German Osman y Moisés Barón, quienes actuaron en representación de los 253 despedidos, los representantes de Ecopetrol S.A.. Ayde Mary Ramírez Tello, Claudia Yaneth Wilches Rojas y María del Pilar López García; la representante de la ANDI, Doctora Patricia Calderón Bustillo; el Representante de la

Procuraduría General de la Nación – Delegada para asuntos Laborales-, Doctores Jorge Iván Montalvo; los Representantes del Ministerio del Trabajo, Doctores Gloria Beatriz Gaviria, Carmenza Perilla Enciso, Gloria Leal y el Señor Víctor Pardo Rodríguez; el delegado de la Central Unitaria de Trabajadores CUT, señor Domingo Tovar.

Para llegar a este último acuerdo fue necesario, la insistencias del sindicato ante la OIT, referenciando el Pronunciamiento del caso 2355, desde el comité de libertad sindical y el consejo de Administración quienes incidieron para la conformación de la comisión especial de tratamiento de conflictos ante la OIT – **CETCOIT**, dando continuidad al procedimiento ya iniciado en actas anteriores de fechas 10 de diciembre de 2012 y 6 de febrero de 2013, para dar como resultado dicha acta de acuerdo integral y definitivo el 23 de mayo de 2013. Considero de gran importancia resaltar en especial el esfuerzo de Rodolfo y Cesar dos personas de gran experiencia en el sindicato, además que ambos fueron Presidentes de la Junta Directiva Nacional de la USO los cuales lideraron y se echaron al hombro la responsabilidad de llevar esta situación bastante compleja y complicada en sus inicios a un acuerdo integral y definitivo sobre el tema de los despedidos de la huelga del 2004. Para ellos dos un merecido aplauso y agradecimiento.

Es decir que con esta última acta de fecha 23 de mayo de 2013 se logra nuestra gran meta como despedidos que era lograr **el reintegro de todos los 253 trabajadores despedidos del proceso huelguístico del año 2004**, incluso con esta acta se le mejoraron de forma sustancial las pensiones a los trabajadores que fueron despedidos en el proceso de la huelga y que se pensionaron con el acta de levantamiento de huelga. A pesar que algunos de ellos nunca más volvieron a aparecer para ayudar en cada etapa del proceso que soportaron y sacaron adelante los demás despedidos.

César Loza (Izquierda)
Rodolfo Vecino (Derecha)

Resaltar mediante la siguiente imagen de izquierda a derecha César Loza y Rodolfo Vecino, por su compromiso al frente de este proceso del **CETCOIT**, donde la gran experiencia y conocimiento sobre diversos temas alrededor de la lucha sindical, además de sus buenos oficio y del intenso lobby e infinidad de reuniones con diversas instituciones, la empresa Ecopetrol y demás sectores vinculados a este proceso, buscando las llaves que fueron abriendo la puerta de este gran acuerdo, a ellos dos en especial y a los demás dirigentes que ayudaron en este proceso, mi más sincero agradecimiento por su esfuerzo y empeño en hacer que las cosas pasaran.

Como también va ese aplauso para aquellos pocos trabajadores despedidos que siempre creyeron que al final del camino encontraríamos la luz, para poder abrir esta gran puerta que nos llevaría a todos a recuperar lo perdido.

Un acuerdo integral donde todos los 253 trabajadores despedidos incluidos los que se pensionaron **RECUPERAMOS LO PERDIDO**, en un gran acuerdo nunca antes visto en ninguna parte del mundo y sí que menos en Colombia, y en especial en Ecopetrol se había logrado un acuerdo de tal magnitud, siempre todos los despedidos quedaban a la deriva sin ningún tipo de solución global de fondo como esta solo lo que logro de forma particular en la huelga de 1977 Florentino Martínez, que después de estudiar derecho logra el mismo reintegrarse. Es de resalta este acuerdo que cambia el contexto del pasado y abre una gran puerta a futuro en estos procesos de despedidos, en donde con la insistencia y persistencia de unos pocos y el pronunciamiento de la OIT, se logra crear el CETCOIT como un mecanismo de solución de este tipo de casos como lo fue el 2355, que deben ser tenidos muy en cuenta a futuro, para solucionar este tipo de conflictos laborales entre otros.

A los trabajadores que fueron despedidos y luego pensionados producto del acuerdo de levantamiento del cese, ya al tener su pensión en vigencia les entregaron los dineros dejados de devengar por el tiempo que estuvieron despedidos, además les ajustaron sus pensiones producto de todo lo acordado.

Se logró el objetivo inicialmente soñado en la mente de unos pocos, desde el inicio de todo el proceso, del cual la gran mayoría no creía que fuese posible su logro, un proceso de más de 9 años en el cual tuvimos muchos inconvenientes, retrocesos, tres momentos donde se abría una puerta y luego se cerraba, donde muchos volvíamos a quedar por fuera de nuestro trabajo, es decir nuevamente despedidos o de otra forma quedando nuevamente en cero, momentos de frustración, desesperanza, perdida de la fe, desmotivación, perdida del rumbo, de querer tirar la toalla, donde se pasaron muchas necesidades y muchos tropiezos, pero en el fondo es bueno que todos sepan, que si no se hubiésemos pasado por todas esas dificultades, posiblemente ese gran triunfo nunca se hubiera conseguido, ya que con la primera derrota dejaríamos todo tirado, dejando nuestras banderas e ideales a un lado para seguir con nuestras vidas, como muchos otros nos lo decían, que dejáramos de joder y aceptáramos el despido como parte de las consecuencia de la lucha, como decían algunos, "en una guerra siempre hay sacrificados", pero esta vez se quedaron esperando ver a esos sacrificados, ya que pudo más las ganas de unos pocos en sus inicios del proceso en querer lograr lo imposible convirtiéndose al final en el sueño de muchos, que si empezaron a creer que fuese posible lo imposible. Por encima del deseo de unos pocos que nunca creyeron que fuese posible este gran logro por eso nunca lo apoyaron.

También fue necesario que cada trabajador firmara un acta de conciliación ante el Ministerio del Trabajo, en dicho procedimiento me acompaño mi amigo César Eduardo Loza Arenas, quien firmaba como testigo de dicho acto jurídico que nos devolvía a cada despedido nuestro trabajo y que con este último paso se estaba, recuperando lo perdido en la huelga entre ECOPETROL y la USO en el año 2004.

Se adjuntan las actas de este gran acuerdo **"Integral y Definitivo"**, que le da fin a este proceso de más de 9 años de lucha y persistencia, por transformar un sueño en una realidad, **Recuperando lo perdido.**

Gracias, nos vemos en la siguiente historia también de la vida real...

"Rémora de Perdedor a Ganador".

**COMISIÓN ESPECIAL DE TRATAMIENTO DE CONFLICTOS ANTE LA OIT
"CETCOIT"- CASO 2355 OIT**

ACTA DE ACUERDO INTEGRAL Y DEFINITIVA

**SOBRE SITUACIÓN DE TRABAJADORES DESPEDIDOS
CON OCASIÓN DEL CONFLICTO COLECTIVO 2002-2004
ECOPETROL –UNION SINDICAL OBRERA DE LA INDUSTRIA DEL PETRÓLEO –
USO-**

En la ciudad de Bogotá, a los veintitrés (23) días del mes de mayo de dos mil trece (2013), con ocasión de la convocatoria que hiciera el Señor Viceministro de Relaciones Laborales e Inspección, Dr. José Noé Ríos, se reúnen en el despacho del señor Ministro del Trabajo, Dr. Rafael Pardo Rueda, el mediador designado por la OIT, Doctor Eduardo Cifuentes Muñoz, los representantes de la Unión Sindical Obrera de la Industria del Petróleo -USO-, señores Rodolfo Vecino Acevedo, César Eduardo Loza Arenas, German Osman y Moisés Barón, quienes actúan en representación de las 256 personas relacionadas en el Anexo 1 que hace parte integral de la presente Acta; los representantes de Ecopetrol S.A., Ayde Mary Ramirez Tello, Claudia Janeth Wilches Rojas y María del Pilar López García; la representante de la ANDI, Doctora Patricia Calderón Bustillo; el representante de la Procuraduría General de la Nación -Delegada para Asuntos Laborales-, Doctores Jorge Iván Montalvo; los representantes del Ministerio del Trabajo, Doctores Gloria Beatriz Gaviria, Carmenza Perilla Enciso, Gloria Leal y el señor Víctor Pardo Rodríguez; el delegado de la Central Unitaria de Trabajadores (CUT) señor Domingo Tovar ; convocados a esta reunión en el marco de la Comisión Especial de Tratamiento de Conflictos ante la OIT-CETCOIT, dando continuidad al procedimiento ya iniciado en esta sede (Acta del 10 de diciembre de 2012 y 6 de febrero de 2013), con ocasión de la petición que hicieran la Procuraduría General de la Nación y el Ministerio del Trabajo, para tratar el conflicto al que se ha hecho mención, el cual tiene relación con el caso 2355; ante esta Comisión, considerando:

1. Que en aras de contribuir al mejoramiento continuo de las relaciones laborales en Ecopetrol S.A. a todos los intervinientes les asiste el interés común de dar cierre definitivo a la situación del personal despedido en el marco del conflicto colectivo 2002-2004, en armonía con los derechos constitucionales de asociación y libertad sindical.

2. Que en el año 2004 se presentó queja ante el Comité de Libertad Sindical de la OIT en relación con el conflicto colectivo de trabajo presentado en Ecopetrol S.A., entre el 22 de abril y el 26 de mayo de 2004, radicado bajo el número 2355.

3. Que en el marco del caso 2355, en distintas oportunidades la Organización Internacional del Trabajo, a través del Comité de Libertad Sindical y del Consejo de Administración, requirió al Gobierno Colombiano a fin de que tomara las

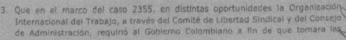

Acta de Acuerdo integral y definitivo

medidas necesarias para cesar los efectos de la decisión de despedir a los trabajadores de ECOPETROL S.A., en virtud de su participación en la huelga.

4. Que el Comité de Libertad Sindical de la OIT en los informes de seguimiento al caso 2355, ha dado a entender que la declaración de ilegalidad de la huelga en este caso se dio con base en una legislación que no se ajustaba a los principios de libertad sindical, estos pronunciamientos así como los manifestados por los Órganos de Control de la OIT, fueron tenidos en cuenta para la modificación de la legislación colombiana mediante la Ley 1210 de 2008 en virtud de la cual, se estableció que la legalidad o ilegalidad de una suspensión o paro colectivo del trabajo sería declarada judicialmente mediante trámite preferente.

5. Que con fundamento en principios de solidaridad y responsabilidad social, Ecopetrol S.A. y la Unión Sindical Obrera –USO– han celebrado varios acuerdos buscando dar solución al tema de despedidos en dicho conflicto, así:

- Agosto de 2009: *"Acuerdo trabajadores despedidos conflicto colectivo de trabajo 2002 – 2004"*

- Julio de 2010: *"Conclusiones Ecopetrol S.A-USO"*

- Noviembre de 2010: *"Conclusiones Ecopetrol S.A-USO"*

- Junio de 2011: *"Acta de Acuerdo"*

- Octubre de 2011: *"Acta de Acuerdo"*.

6. Que con sentencia de fecha 27 de octubre de 2011, el Consejo de Estado declaró nula la Resolución N° 1116 de 2004 del entonces Ministerio de la Protección Social, hecho que origina nuevas inquietudes y planteamientos por parte de la organización sindical USO en relación con la situación de los trabajadores despedidos, pues consideran que dicha declaratoria de nulidad afecta las decisiones de terminaciones de contratos laborales que adoptó Ecopetrol S.A. y los derechos correlativos de los trabajadores.

En su sentencia de nulidad el Consejo de Estado señaló que en el trámite de declaración de ilegalidad de la huelga *"(...) no se escuchó a los posibles afectados y no se practicaron pruebas, transgrediendo con ello los postulados de la Carta Política sobre la garantía del debido proceso que envuelve tanto a las actuaciones judiciales como a las administrativas (...)"*, trayendo consigo la violación de un derecho fundamental.

7. Que no obstante que Ecopetrol S.A. actuó en el marco de una decisión con plena validez en su momento, es indiscutible que en este caso, como subraya el Consejo de Estado, se restringió a los interesados la posibilidad de ejercer el derecho de defensa.

Acta de Acuerdo integral y definitivo

8. Que las resoluciones 1878 de 2002 y 1115 de 2004, proferidas por el entonces Ministerio de la Protección Social, declarando la ilegalidad de los ceses de actividades de noviembre de 2002 y marzo de 2004, respectivamente, también se produjeron sin la intervención de los interesados, fundamento principal de la declaración de nulidad de la resolución 1116 de 2004 y que según el Consejo de Estado constituye una violación del debido proceso.

9. Que no obstante los acuerdos señalados en el numeral 5 de esta acta, la organización sindical ha continuado presentando diversas inquietudes en relación con la situación del personal que fue desvinculado con ocasión del conflicto colectivo 2002-2004, dado que en el transcurso de los años el personal despedido ha tenido diferentes soluciones a su problemática, algunos de forma definitiva y otros parciales, por vía judicial, convencional o arbitral, unos se vincularon nuevamente con Ecopetrol S.A., otros se reintegraron en distintas fechas conforme a lo señalado por los fallos judiciales y/o arbitrales, algunos fueron inhabilitados o pensionados de forma plena o parcial, y otros fueron indemnizados por razón del despido.

Que por todo lo anterior, las partes intervinientes, basados en principios constitucionales y en normas internacionales, consideran fundamental dar una solución definitiva a las personas que fueron despedidas en el marco del conflicto colectivo 2002-2004 que permita culminar las diferencias y lograr armonía en las relaciones laborales en un marco de legalidad, han concertado el siguiente:

ACUERDO:

1. Respecto de aquellas personas que participaron en el conflicto colectivo 2002-2004 y fueron pensionadas con ocasión del acta del 26 de mayo de 2004 según listado adjunto (Anexo 2), se les mantendrá tal status y se procederá a liquidar y pagar los salarios y prestaciones sociales por el tiempo transcurrido entre la fecha de desvinculación acaecida en el año 2004 y el 27 de octubre de 2011 para efectos de la reliquidación de su derecho pensional, para lo cual deberán suscribir conciliaciones individuales ante el Ministerio del Trabajo con el único inspector que sea designado, y con el acompañamiento de la Procuraduría a través de un delegado único.

Para estos efectos se adjunta a la presente acta un listado con las variables que se incluirán en la liquidación y reconocimiento de tiempos, salarios, prestaciones y demás beneficios convencionales, a que haya lugar en cumplimiento del presente acuerdo (Anexo 3).

De los dineros que eventualmente resulten a favor de esta población se descontarán aquellos que haya desembolsado la Empresa con ocasión del cumplimiento de decisiones judiciales con el mismo fundamento.

2. Considerando la especial situación pensional de los señores Víctor Manuel Flórez y Eladio de Jesús Rincón, éstos mantendrán el status de pensionados que adquirieron en el año 2004.

Acta de Acuerdo integral y definitivo

3. En relación con las personas laboralmente activas (Anexo 4), se considerarán, para todos los efectos, los tiempos que estuvieron desvinculados con ocasión de la terminación de sus contratos de trabajo. Esto implica que se reestablecerán los contratos en los mismos términos y condiciones que se encontraban vigentes al momento de la desvinculación inicial.

Para estos efectos se adjunta a la presente acta un listado con las variables que se utilizarán para la liquidación y reconocimiento de tiempos, salarios, prestaciones y demás beneficios convencionales, a que haya lugar en cumplimiento del presente acuerdo (Anexo 5).

De los dineros que eventualmente resulten a favor de esta población se descontarán aquellos que haya desembolsado la Empresa con ocasión de la aplicación de decisiones judiciales, arbitrales y los acuerdos suscritos con la USO en junio de 2011 y octubre de 2011, en los que se estableció de manera expresa, que se realizaría el respectivo cruce de cuentas.

4. Este acuerdo acoge la decisión definitiva del respectivo juez de tutela en los 4 incidentes de desacato abiertos ante la jurisdicción laboral de Cúcuta, instaurados por la población laboralmente activa, según el listado consignado en el Anexo 6 del presente documento.

5. Este acuerdo se hace efectivo y su contenido exigible con la suscripción de las actas de conciliación individual ante el Ministerio del Trabajo con el inspector que sea designado, y con el acompañamiento de la Procuraduría a través de un delegado único. Las conciliaciones individuales para la primera población, relacionada en el anexo 2 de esta acta, se suscribirán entre los 45 y 90 días contados a partir de la fecha del presente acuerdo, y las del segundo grupo, relacionado en el anexo 4, entre los 90 y los 120 días después de aquella fecha.

Para efectos del reconocimiento de los beneficios de salud y plan educacional, los trabajadores tienen hasta el 28 de junio de 2013 para allegar los respectivos soportes que acrediten los gastos realizados por tal concepto y para realizar la inscripción de los beneficiarios que dan lugar al subsidio familiar.

La Unión Sindical Obrera de la Industria del Petróleo -USO- manifiesta que la queja en el caso No. 2355, presentada ante el Comité de Libertad Sindical de la OIT, en lo que respecta a Ecopetrol S.A., se considera cerrada con la firma del presente acuerdo y con la suscripción de las conciliaciones efectuadas dentro del plazo estipulado para conciliar. El cumplimiento de este acuerdo será informado a la Organización Internacional del Trabajo -OIT por parte del Ministerio de Trabajo, remitiendo copia de la presente acta al momento de la suscripción y posterior constancia sobre el agotamiento de las conciliaciones.

Se firman cuatro (4) copias de este acuerdo y a un mismo efecto para ser retiradas por las partes suscriptoras, por la OIT y la restante para ser entregada al Ministerio del Trabajo.

Acta de Acuerdo integral y definitivo

Para constancia se firma la presente acta en la ciudad de Bogotá D.C., a los veintitrés (23) días del mes de mayo de dos mil trece (2013), por quienes en ella intervienen.

POR LA USO

_____
Rodolfo Vecino Acevedo

_____
Germán Osman Mantilla

_____
César Eduardo Loza Arenas

_____
Moisés Barón Cárdenas

POR ECOPETROL

_____
Ayde Mary Ramírez Tello

_____
Claudia Janeth Wilches Rojas

_____
María del Pilar López García

POR LA CETCOIT

Acta de Acuerdo integral y definitivo

Dr. José Noé Ríos
Viceministro del Trabajo

Dr. Eduardo Cifuentes
Mediador Designado

Jorge Iván Montalvo
Procuraduría

Patricia Calderón Bustillo
ANDI

Domingo Tovar
CUT

Gloria Beatríz Gaviria
Ministerio del Trabajo

Carmenza Padilla Enciso
Ministerio del Trabajo

Gloria Leal
Ministerio del Trabajo

Víctor Pardo
Ministerio del Trabajo

Acta de Acuerdo integral y definitivo

Epílogo

P rimero que todo quiero manifestar que mi propósito con este libro no es encontrar culpables de algo que se hizo o que no se hizo, el objetivo de este libro es mostrar como desde los hechos reales de una historia que muchos conocieron y cualquiera puede verificar con documentos públicos su veracidad, de cómo un grupo de 253 trabajadores pierden sus empleos y a raíz de esa pérdida nace un sueño de unos poco por recuperar lo que para muchos era imposible lograr, en donde tuvieron que vivir un conjunto de diversos sucesos convertidos en etapas del proceso, algunos con avances, otros con retrocesos con cada puerta que se abría y otras que se cerraban, llevándolos a crear ciertos hábitos y valores para desde sus adentros creer en que si era posible y que solo dependía de la sumatoria de pequeñas acciones que se fueron convirtiendo en mejores oportunidades de encontrar al final esa puerta que los llevaría al resultado propuesto como sueño o meta final.

Lo cual convierte a esta historia en un manual de instrucciones muy bien estructurado en donde cualquier persona que siga de forma ordenada y disciplinada cada una de estas enseñanzas, para cualquier otros proceso similar colectivo o individual en donde se persigan metas o sueños, cuyo requisito indispensable es que tú debes tomarte muy en serio tus sueños, para así poder aplicar de forma disciplinada estas dos grandes conclusiones y enseñanzas las cuales se encuentra enmarcadas dentro de todo el procesos para recuperar lo perdido.

La primera conclusión y enseñanza se da, al iniciar todo este proceso previo del contexto de la huelga y durante la huelga, en lo referente a las **"decisiones"** y sus posibles resultados, que para ambos casos, tanto la toma o no de las decisiones ambas cuentan de la misma forma, una decisión que no se toma es también "una decisión", para ello es necesario tener dentro del análisis todos los posibles resultados que se desprendan de cada una de dichas decisiones, sean favorables o desfavorables, así lograras un contexto más amplio real y completo que te ayudara a tomar las decisiones más sabias, además de tener un plan de acción para cualquiera de los dos resultados (ganar o perder).

Si la decisión se toma y sus consecuencia son favorables o desfavorable, al igual que si la decisión no se toma y sus consecuencias también son favorables o desfavorables, es decir que todas estas decisiones deben ser tomadas dentro de un contexto a futuro de sus posibles resultados y a la vez se debe definir cuales deberán ser las alternativas y soluciones previamente establecidas y diseñadas para cada situación en particular, buscando siempre escuchar a todos los involucrados en el proceso desde las realidades siempre manteniendo el enfoque en los momentos más precisos para ejecutar dichas decisiones, ya que todo cuenta, así parezca exagerado o muy poco probable, todo debe ser tenido en cuenta, (una buena decisión en un momento inoportuno puede generar un resultado negativo), además de tener diseñado un plan de recursos preestablecidos para todo el proceso, en especial para cuando dichas decisiones no salgan como esperemos.

La segunda conclusión y enseñanza como parte integral de este gran proceso está divida en dos grandes partes la cual una es el complemento de la otra y se da cuando tenemos **una idea, una meta o un sueño**, en donde si no le colocamos el ingrediente más importante no podemos tener el resultado esperado y es definitivamente "**La acción**", como lo hemos dicho durante todo el relato de esta sentida autobiografía "Un sueño sin acción, es solo eso...Un sueño".

Esta se da al ya tener un número considerable de personas despedidas que sentían que habían sido despedidas de forma injusta y que de alguna forma estaban inconformes con dicha sanción, en los cuales se va incrustando en su pensamiento poco a poco que debían ser reintegrados, lo cual se convertiría en un sueño al cual no querían renunciar, a pesar que inicialmente fueron pocos lo que así pensaban, con el tiempo se fue convirtiendo en el mismo ideal o meta para todos ellos.

Todo esto se convierte en una gran enseñanza no solo para este evento en particular, sino para cualquier situación del diario vivir, donde debemos de luchar por nuestros sueños, que, mediante el trabajo decidido, la persistencia, la resiliencia, la disciplina, el trabajo en equipo, y muchos otros valores incrustado en el hacer, podemos llevar a convertir dichos sueños a una gran realidad.

El inicio de todo proceso de cambio viene de un sueño, que para muchos puede ser inalcanzable y desde esa óptica, dicho sueño nunca será realidad, pero solo aquellos que sueñan y piensan que es posible lograrlo, así sea algo aparentemente inalcanzable como en su momento lo fuese para el presidente estadounidense John F. Kennedy quien se comprometió a nivel mundial en hacer realidad su sueño de llegar a la luna y que al final lo logro mediante la creación de la misión Apolo 11, solo con soñarlo, no era suficiente, faltaba un gran ingrediente para que la receta diera resultado y tuviese el desenlace esperado, el cual es la **"ACCIÓN"**, un sueño sin acción es solo eso, un sueño.

Recuerdo que cuando salió la idea de realizar una marcha desde Barrancabermeja hasta la ciudad de Bogotá, para el compañero despedido que dio la idea, dijo: *"yo doy la idea, pero creo que no va a ser posible"* y mucho más lo ratifico cuando la Junta Directiva Nacional de la USO, nos respondió que no era posible ayudarnos, ya que no existían los recursos económicos para hacer dicha travesía, la cual era algo muy costos de realizar. Pero, para unos poco ese sueño de realizar dicha marcha hasta la ciudad de Bogotá, si era posible y fue así que dicho sueño, se hizo realidad mediante la acción de todo un equipo de trabajo decidido a realizar lo que fuese necesario hacer para convertirlo en una realidad, esta primera idea presentaba sus primero tropiezos que debían ser resueltos mediante la decisión de empezar hacer lo que hay que hacer. Punto, no hay de otra. Y como este muchos otros pequeños sueños o pequeñas metas dentro del mismo proceso del sueño final o gran meta, las cuales fueron convertidas en una realidad, dicha marcha y acto político también fue muy importante como una de las muchas piezas fundamentales de todo el engranaje para poder llegar a la meta final.

Cómo pudiste observar, no solo fue un sueño, existieron muchos otros pequeños sueños durante todo el proceso hacia el reintegro de todos los despedidos, es decir que todo gran sueño o gran meta, que muchas veces vemos inalcanzable, la cual no se puede realizar con una sola acción, para volver a referenciar a lo que hemos dicho anteriormente al referirnos de ¿cómo se come a una ballena? Cuya respuesta es a pedazos o dividiéndola por partes, cómo pudiste evidenciar fueron varios sueños o pequeñas metas todas dentro de un gran sueño o gran meta "EL REINTEGRO DE TODOS LOS DESPEDIDOS", con cada nueva puerta que se debía abrir, para así pasar a un nuevo sueño que nos acercaba un poco más a nuestra gran meta, pero que, si no se sueña y se avanza paso a paso, el sueño o meta final será muy difícil de alcanzar.

Nadie llega tan lejos sin dar el primer paso y luego muchos pasos más, es así sueño tras sueño, llevados a su final desde el ingrediente fundamental de la **acción**, como ya lo hemos dicho un sueño sin acción es solo eso "UN SUEÑO". Es decir que todo lo que nos propongamos empieza con un sueño el cual debes poner en acción si quieres lograrlo.

Es importante resaltar que en este escenario no dependía en el 100 % de los trabajadores despedidos, dependía de las voluntades de terceras personas, encarnadas en el gobierno, la empresa, y otras estructuras gubernamentales que eran en ultimas las que debían aceptar las proposiciones que el sindicato, mediante la

Comisión Especial de Tratamiento de Conflictos ante la OIT **CETCOIT,** les solicitaban para darle fin a este largo y extenuante proceso.

Para otros escenarios del diario vivir de cada quien, en donde realmente depende únicamente de cada persona para poder lograr cada objetivo, es decir que depende en un 100% de cada cual en especial de sus acciones para llegar a lograr esa meta o sueño, solo que nuestra mente muchas veces no nos deja ver todo ese potencial que cada uno de nosotros puede entregar en valores de persistencia, resistencia, disciplina, resiliencia entre otros necesario para lograr no solo recuperar lo perdido, sino ir más allá y lograr lo que queremos realmente ser, para trascender y encontrarle el sentido del por qué y para que estamos en este mundo.

Manos a la obra con tus sueños, desde ya tomando las mejores decisiones...

Antes de Terminar

En el momento actual que estoy terminando de escribir esta gran historia de la vida real, acaba de terminar una nueva negociación colectiva entre Ecopetrol y la USO, para la vigencia 2023 hasta el año 2026, cuatro años de vigencia.

Solo resaltar que gracias al buen liderazgo que llevo tanto el equipo negociador del sindicato, como el Presidente de la Junta Directiva Nacional de la USO, César Eduardo Loza Arenas, con la ayuda de la Ministra del Trabajo Gloria Inés Ramírez Ríos y el Vice Ministro del Trabajo Edwin Palma Egea, se pudo sacar adelante esta nueva convención colectiva que según han informado, va a traer muchos beneficios a los trabajadores que laboran para las firmas contratistas, para los trabajadores directos de Ecopetrol, para todos los beneficiarios de la convención incluidos los pensionados, además de la comunidad en general, ya que presenta algunos acuerdos de carácter social.

Al parecer la presencia del compañero César Loza Arenas como Presidente de la USO, fue determínate ya que él tiene el bagaje y experiencia de todo el contexto de lo ocurrido antes, durante y después de la huelga del año 2004, siendo él, parte del proceso que finalizo con el gran logro de Recuperar lo perdido, con el acta Integral y definitiva en el proceso del CETCOIT, donde junto al compañero Rodolfo Vecino, lograron que se diera el cierre de este proceso con el reintegro de todos los 253 trabajadores despedidos.

Por lo cual la historia no se repitió, que es muy importante decirlo, ya que llevar a cabo una huelga, no es soplar y hacer botellas, al perecer el Compañero César Loza, tenía muy en claro todo lo que podía pasar y hasta donde podía llegar y supo desarrollar todo un proceso de acercamiento mutuo entre las partes con miras a realmente cerrar con un buen acuerdo entre las partes, al unificar ambas partes ya en el cierre de dicha negociación, empresa y sindicato en un solo equipo logrando un acuerdo que beneficie a todas las partes, impidiendo con ello que los tiempos le impusiesen un Tribunal de Arbitramento

Obligatorio, del cual ya sabemos muy bien sus posibles resultados.

Para terminar, diciendo según lo ya expuesto, que una huelga se puede convertir en un gran retroceso de no garantizarse, para lo cual es decretada, **"la parálisis total de la producción"**, lo cual no es para nada fácil de conseguir. Por lo cual, felicito y aplaudo este nuevo acuerdo de una nueva Convención Colectiva de Trabajo entre La USO y Ecopetrol S.A.

Es de resaltar que hasta antes de la huelga del 2004, la gran mayoría de los despedidos que resultaban de dichos conflictos huelguísticos en Ecopetrol siempre quedaban sin ningún tipo de solución, más que lidiar con su problema solos y a la deriva, por lo cual con dicho fallo del CETCOIT, cambia la historia de forma muy significante y además abre la puerta del debate para hacer posible la realización de las huelgas en el sector de los hidrocarburos en Colombia, sin ser declarada ilegal, como bien lo recomendó la OIT mediante el caso 2355.

El debate está abierto y cada día con más insumos a nivel general, desde la academia, los sindicatos, en especial la USO, e incluso el propio Vice Ministro del trabajo Edwin Palma, ha hecho sus aportes a este debate mediante su libro "La Huelga Después de la Huelga", en donde: *"pretende hacer llegar de una manera clara, sencilla y poderosa un mensaje democrático: el conflicto laboral expresado a través de la huelga es un hecho natural y hasta inevitable en una sociedad integrada por grupos con valores e intereses distintos. Es normal que los empleadores y trabajadores tengan intereses diversos que entren en disputas."*

Ojalá algún día se resuelva a favor de los trabajadores este tema de la legalidad de la huelga en el sector de los hidrocarburos en Colombia, para ser permitidas como un mecanismo en búsqueda de un dialogo constructivo y más equitativo donde la voz de los trabajadores sea realmente tenida en cuenta.

Antes de finalizar quiero dejar en claro algo que posiblemente no se ha dicho de forma concreta, y es lo referente a que los despedidos que realmente tuvieron que lidiar con todo ese peso de quedar sin ningún tipo de ingreso, debido a que existió un primer momento donde inicialmente fueron reintegrados 87 trabajadores mediante la firma del acta de levantamiento de la huelga en donde se le estaba solucionando de primera mano el problema a 19 trabajadores que cumplían los requisitos para una pensión plena y a 68 trabajadores de más con pensiones proporcionales, si bien no fueron reintegrados a sus puestos de trabajo, recuperaron sus ingresos económicos, sus beneficios de salud y prestamos de vivienda, muy parecido a todo lo que recibe un trabajador activo.

Quedando de los 248 un total de 161 trabajadores despedidos de la huelga, pero como sabemos que existieron 4 despidos antes de la huelga y uno después de la huelga, lo cual nos lleva a un número total de despedidos de 166 trabajadores que tuvieron que lidiar realmente con el calvario que les imponía ser los despedidos que habían quedado de la huelga del 2004.

Como también decir que, de esa 166 persona de carne y hueso, muy pocas de ellas fueron las que siempre tuvieron como un sueño alcanzable lograr recuperar lo perdido es decir sus anteriores empleos indefinidos en la empresa Ecopetrol, otras aceptaron la perdida y siguieron su vida buscando desde sus habilidades encontrar un ingreso que les diera el sostenimiento para sus familias.

Hago esta aclaración para decirles que con una sola persona que piense diferente y que realmente tenga como propósito sacar adelante su sueño, es el comienzo para que un sueño de unos pocos se convirtiese en la realidad de ellos y muchos otros y que al final la gran mayoría creyeron ser posible. Cuando tu mente desde su interior cree que puede conseguir lo que este como su propósito, sueño o meta, ten siempre el convencimiento que lo vas a lograr, es solo dar el primer paso y seguir mediante el actuar permanente que lo harás realidad. Punto.

Si fue posible sacar a flote el sueño de unos pocos que beneficiaron a una gran mayoría, donde no tenían el control del resultado al no depender de ellos su resultado final, como no va ser posible hacer lo mismo y mucho más en otros escenarios de la vida real de cada cual, más aún si dependen en un 100% de tu actuar.

Quiero que analices muy bien esta historia de la vida real, que es un claro ejemplo a seguir para lograr el éxito en cualquiera de tus propósitos, donde con todo en contra, sin tener el control del posibles resultados y solo con el poder de la acción constante y decidida de unos pocos en sus inicios querer lograr un sueño que para los demás era algo casi imposible, se va logrando poco a poco, paso a paso, donde en algunas ocasiones los resultados nos llevan al comienzo, empezando nuevamente de ceros, es algo que a cualquier otro lo hiciera tirar la toalla, pero pudo más la persistencia de lograr lo imposible, mediante el análisis de cada proceso fallido, buscando siempre encontrar las enseñanzas hacia el proceso real que nos llevase por la senda del éxito, hasta en un último esfuerzo encontrarlo y ya con una mente fortalecida solo era esperar y seguir en el proceso para que el resultado esperado llegase.

Lo más gratificante fue que la gran mayoría que en un principio no creía que fuese posible, ya en la recta final esa misma mayoría estaba más que convencida de que si era posible, lo cual hacia más real la llegada del éxito final y poder terminar así **Recuperando lo perdido.**

Por eso que decidí contar desde la realidad de todo lo sucedido, para que esta historia sirva de motivación para muchos otros, que pueden estar en una situación parecida de forma individual o colectiva, y estén a punto de tirar la toalla, que vean en esta historia un manual de instrucciones que inicia desde el sueño que para muchos puede ser un imposible, pero que si para usted, amigo lector está en tu corazón y en tu mente tu sueño, solo te queda emprender el camino mediante la acción decidida paso a paso, día a día, semana a semana, mes a mes, año a año, dure lo que tenga que durar, sin olvidar que cada proceso fallido te está entregando una información muy importante que debes de analizar a fondo para seguir buscando la mejor forma de hacer las cosas y que te llevara por el camino del éxito, solo así sin desfallecer podrás llegar al logro de tus sueños y ser una persona que hace que las cosas pasen como tú quieres que pase y no como otros quieran que te suceda, en tus manos está el futuro de tu vida.

Ya para terminar quiero decirte que esta historia cambio mi vida e hizo de mí una persona con un pensamiento muy diferente, la cual desde que todo esto sucedió pude entender que si quería lograr mis verdaderos sueños era necesario no depender de un único ingreso, por lo cual emprendí un camino muy difícil de prueba y error para crear un entorno que dependa de mí, por ello fue que decidí acogerme a un plan de retiro en el año 2022 y dedicarle todo el tiempo a este nuevo sueño de encontrar un ingreso que pueda desarrollar desde mis saberes y conocimientos en algo que era nuevo para mí y que debía estudiar, analizar, comprender y practicar muchísimo, para lograr el resultado esperado, crear un activo que trabaje para mí pero que realmente dependa de mí y en el tiempo poder ayudar a otras personas a que lo puedan obtener también, no ha sido nada fácil, pero ya después de más de 14 años de estar inicialmente buscándolo, luego estudiándolo, y mucho más, he encontrado dicho activo, lo he estudiado y comprendido desde el análisis y practica permanentemente, para garantizar que en el tiempo, pueda ser auto sostenible, en donde el adiestramiento constante de mi mente han sido mi trabajo del día a día.

Si es de tu agrado y cómo pudiste ver en esta historia que depender de un empleo, salario o de un solo ingreso sea el que sea y que dependa de otras personas o circunstancias, y no de ti, puede ser muy complicado en el tiempo de mantenerlo ya que en cualquier momento lo podemos perder y más en estas épocas de pandemias, de crisis económicas y guerras a nivel mundial, además es posible que tengas que estar toda tu vida, atado a tu empleo o auto empleo sin cumplir tus verdaderos sueños.

Te invito a que a futuro leas mi nueva historia también de la vida real donde te entrego todo lo que he aprendido en estos más de 14 años, buscando la forma segura crear un muy buen ingreso que dependa al 100% de mí o de ti si así realmente lo sueñas y deseas, te cuento que al principio fue todo muy difícil por la poca experiencia en dicho proceso, pero con el tiempo y el aprendizaje constante para lograr desde nuestra mente la consecución de hacer un sueño real, lo cual ya viste en este proceso donde como ya lo he dicho para nada dependía su resultado de ellos los despedidos, sino de terceras personas. Este nuevo proceso solo dependerá de cada quien, en aprender, practicar y lograr la consistencia que te llevará a tus resultados deseados.

Es solo una propuesta inicialmente de leer esta nueva historia que te mostrará desde cero como tú puedes lógralo también, si te animas por lo menos en conocer esta nueva propuesta que está enmarcada en la auto superación personal y obviamente en lograr metas o sueños. Acá te dejo su nombre, para que la busques en Amazon y/o Hotmart su nombre es **"Rémora de Perdedor a Ganador"**, ojalá la puedas leer, saques tus conclusiones y posiblemente seguiremos más adelante en otra gran historia donde tú seas el actor principal.

Muchas Gracias.

Sobre el Autor

Javier Hernández Acosta, fue empleado de la Empresa Colombia de Petróleos de Colombia: ECOPETROL S.A., la más grande empresa de Colombia, desde el 07 de septiembre de 1997 hasta el 30 de noviembre de 2022, su antigüedad un total de 28 años, 1 mes y 1 día, decidió acogerse a un plan de retiro que dispuso la empresa, para dedicarse a realizar otros sueños, uno de ellos era poder terminar y publicar el libro RECUPERANDO LO PERDIDO, y otros más...

Después de acogerse al plan de retiro, se ha dedicado a sus temas personales en especial a escribir todo el aprendizaje que vivió como despedido de la huelga del 2004, además de estar terminando su otro libro encaminado a explicar lo referente a su real sueño de no

Javier Hernández Acosta
Autor de los Libros:
"Recuperando lo perdido"
"Rémora, de perdedor a ganador"

depender de ningún ingreso donde él no sea el autor principal, y para ello lo viene construyendo desde ya hace varios años trabajando día y noche, está próximo a publicar todo lo que ha aprendido en dicho proyecto que le ha dedicado más de 14 años.

Javier es una persona muy dedicada en lo que desea y se enfoca, siempre insistente y persistente en sacar adelante sus sueños y metas.

En sus más de 28 años de empleado siempre estuvo al lado del sindicato, como activista y sus últimos años fue miembro del Comité Ejecutivo de la Federación Funtramiexco en el cargo de fiscal.

Fue trabajador del Departamento de Materias Primas y Productos de la Refinería de Barrancabermeja, empezó como obrero, y producto de todos sus ascensos termino como Operador Senior de la refinería de Barrancabermeja.

Está casado con Liliana Pontón Sánchez, tiene dos hijos Ronald Javier y Sergio Andrés, lleva su hogar como cualquier otra familia con momento difíciles, momentos de alegría, situaciones normales del diario vivir de cualquier familia, hoy producto del retiro de la empresa tiene mucho más tiempo para estar más pendiente de su familia y sus proyectos.

Para terminar queremos agradecerte por haber llegados hasta aquí, esperamos que esta gran historia te haga reflexionar para que empieces a ver tus sueños, de una manera más enfocada, buscando siempre mediante las decisiones cuales quiera que tomes e incluso las que no tomes, aprender a comprender que según sus posibles resultados serán los que te guiarán para tomar las mejores y si por alguna razón no salen como pensabas, puedes también aprender de estos mal llamados "fracasos" que te enseñarán a realizar de una mejor forma cada etapa de tu proceso hacia tu sueño, para así de forma disciplinada y persistente lograr el éxito que siempre has querido y soñado.

Muchas Gracias.

Para contactarse con Javier, lo puedes hacer a cualquiera de los Correos: *jserjioro21@yahoo.es / javierlibros001@gmail.com/jhdez.trader@gmail.com*

Agradecimientos

A gradecer a DIOS, nuestro creador, quien siempre nos ilumina, nos da la vida y la salud para poder realizar todas nuestras acciones del día a día, y sin él no seriamos nada.

Agradecer a la USO y en especial a algunos dirigentes sindicales que se esforzaron y dedicaron gran parte de su tiempo a debatir y convencer a la empresa que era necesario de buscar una salida a este conflicto que seguía abierto por encontrarse unas personas de carne y hueso injustamente despedidas, entre los dirigentes que más se destacaron en todo el proceso están: el Compañero Cesar Eduardo Loza Arenas, Rodolfo Vecino, Oscar Sánchez y German Osman.

Agradecer al Presidente del momento en la empresa el Dr. Javier Genaro Gutiérrez Pemberthy, quien en su calidad de presidente de la empresa demostró ser una persona íntegra con sentimiento de igualdad y equidad para buscar y ayudar en el proceso para que al final se diera este gran acuerdo "Integral y Definitivo".

Agradecer a mi familia mi esposa Liliana y mis dos hijos Sergio Andrés y Ronald Javier, que siempre estuvieron confiando en Dios y en todos los pasos que daba para ayudar en todo este proceso.

Agradecer a todos los 253 trabajadores que fueron despedidos y especialmente a aquellos que nunca perdieron las esperanzas por difícil que estuviera la situación, personas luchadoras y comprometidas con sus sueños, que hacen que las cosas pasen, los cuales no fueron muchos, pero que sin el empuje y persistencia de ellos no hubiese podido darse este gran acuerdo, son grandes guerreros de la vida.

Agradecer a la Corporación Aury Sara Marrugo en cabeza del Compañero Cristobal, quien me facilito algunas fotos de la época.

A luchar por tus sueños...

Milton Keynes UK
Ingram Content Group UK Ltd.
UKHW040659250823
427479UK00001B/98